中华人民共和国法律释义丛书
全国人民代表大会常务委员会法制工作委员会编

中华人民共和国
婚姻法释义

主　编　胡康生（全国人大常委会法制工作委员会副主任）
副主编　王胜明（全国人大常委会法制工作委员会民法室主任）

法律出版社

总　　序

人类文明的历史上，还没有哪一个时代像中国的改革开放40年一样，在历史长河中掀起如此巨大的浪花——它不仅深刻改变了一个国家的面貌与精神气质、使数亿人摆脱贫困，还极大地改变了世界格局。

1978，在那一年的年底，中共中央一次全体会议——十一届三中全会扭转了中国的前进方向，开辟了一个时代。回首过去，我们发现，一些观念从那时开始在中国出现，一些声音从那时开始逐渐响起，一些人物开始登上历史舞台。从这一年开始，随着"加强社会主义民主，健全社会主义法制"历史性任务的提出，"法制"两个字进入了人们的视野；政法机关开始恢复重建；法律院系开始蓬勃发展。一部部法律从庙堂走进了人们的生活，一次次裁决推动着国家前进的脚步。从"有法可依、有法必依、执法必严、违法必究"到"科学立法、严格执法、公正司法、全民守法"；从"法制"到"法治"；从法治观念的形成到"依法治国，建设社会主义法治国家"写进宪法，再到"法治国家、法治政府、法治社会一体建设"，人们对法治的认识步步深入，中国的改革不断向前推进，结出丰硕的果实。在中国共产党的带领下，这个励精图治的古老国度，再一次创造了改革的奇迹。

40年发生了无数故事,40年产生了许多事物。为了纪念这难忘的40年,本社组织编辑出版了一批"纪念改革开放40周年"主题图书。这些图书,将40年来颁布的重要法律及其释义甄选汇集,将法学领域有代表性的学术论文萃取精编,把有关政法机关的重建、法律院系的重生与发展进行展现,将一批被时代改变命运的人物再次唤起。我们希望从法律与法律人的视角,重新审视过去的40年,认真体会这不平凡的40年。

如江河东下,逝者如斯。岁月总会过去,人事总有代谢,但一个不平凡的时代留下的深刻痕迹,永远不会磨灭。"不忘初心,牢记使命",习近平总书记在党的十九大报告中向全党发出的号召,使我们有理由期待,下一个40年,中国将更加惊艳!

法律出版社编辑委员会

2018年10月

出版前言

《中华人民共和国法律释义丛书》是由全国人大常委会法制工作委员会组织编辑的一套系列丛书。

该套丛书由一系列法律释义组成。邀请有关专家、学者和部分参与立法的同志编著。该丛书坚持以准确地反映立法宗旨和法律条款内容为最基本要求,在每部法律释义中努力做到观点的权威性和内容解释的准确性。

我们相信,该套丛书的陆续出版,将会给广大读者进一步学好法律提供有益的帮助。

重印说明

本次重印，是为改革开放40周年制作的特别纪念版，为了保持内容原貌，未对正文和附录作实质修改。个别法条内容有修订或修正的，以脚注形式作了标注。特此说明。

2018年10月

目　　录

第一部分　释　　义

第二部分　附　　录

第一部分 释 义

第一章 总 则

本章规定婚姻法的概念和原则。

第一条 本法是婚姻家庭关系的基本准则。

【释义】本条未作修改，规定了婚姻法的概念，同时也阐明了婚姻法的调整范围。

一、婚姻法的概念和立法例

婚姻法是调整婚姻、亲属间权利义务关系的法律。它主要规定婚姻、亲属间身份关系的产生、变更和消灭，以及基于这种关系而产生的民事权利和义务。婚姻法涉及家家户户，关系每一公民的切身利益。

婚姻法之立法例，在国外大致有四种形式：

一是法国式，将婚姻法的基本内容编制在民法典的人法中，并在民法典的财产取得法中规定了夫妻财产制。法国、意大利等国采取此式。

二是德国式，在民法典中列亲属为一编。德国、瑞士、日本、韩国等国取此例，我国台湾民法亦如此。

三是英国式，由若干个单行法共同组成婚姻法。英美法系国家多采此制。

四是俄国式，单独制定了婚姻家庭法典。俄罗斯、罗马尼亚等国采取这种形式。

婚姻法属民法，是亲属法的一部分。亲属法在其发展沿革中，逐步形成自己的体例，完善了自身的内容。拿破仑法典中，亲属法包括结婚、离婚、夫妻财产制、血缘关系、收养、亲权、监护等内容。德国民法亲属编和瑞士民法亲属编的体例均分为婚姻、亲属、监护三部分。日本民法亲属编包括亲属范围、亲等的计算、婚姻、父母子女、亲权、监护、扶养等内容；韩国民法亲属编包括婚姻、父母子女、监护、扶养、户主、家庭会议等内容。俄国婚姻和家庭法典分为总则，婚姻，家庭，户籍，婚姻家庭立法对外国人、无国籍等人的适用和外国婚姻家庭法、国际条约、国际协定的适用五编。罗马尼亚家庭法典分为婚姻，亲属关系，对无行为能力人、限制行为能力人和其他人的保护三编。南斯拉夫婚姻法分为总则和结婚、婚姻无效、夫妻的权利义务、婚姻终止、婚姻纠纷的诉讼五章。我国台湾民法亲属编包括婚姻、父母子女、监护、扶养、家、亲属会议等内容。以上大致可以看出，亲属法通常包括亲属范畴、亲等的计算方法、婚姻、收养、亲属间的权利义务关系、监护、涉外亲属关系的法律适用等内容。我国目前尚无民法亲属编。亲属法的主要内容含于婚姻法、收养法、继承法、民法通则之中。《中华人民共和国婚姻法》规定了婚姻关系的准则，《中华人民共和国收养法》规定了收养关系的基本内容，《中华人民共和国继承法》第十条中规定了亲属范畴的重要内容。《中华人民共和国民法通则》规定了监护和涉外亲属关系的法律适用。这些共同构成我国的亲属法。随着社会主义法制的健全，亲属法的内容将日臻完善，并有可能制定民法亲属编。

二、婚姻

婚姻是男女两性的结合，这种结合形成当时社会制度所确认的夫妻关系。

婚姻从不同角度，有多种分类。例如，依婚姻史，分为乱婚、群婚、对偶婚和一夫一妻制婚。依结婚是否为要式行为，分为法律婚、宗教婚和事实婚。依结婚是否出于当事人的意愿，分为自主婚和买卖婚、包办婚、胁迫婚、抢夺婚。指腹婚、交换婚多为包办婚。依男娶女嫁还是男到女家，分为聘娶婚和赘婚。依婚姻当事人之间有无亲属关系，分为中表婚、远亲婚和非亲婚。依当事人结婚时的年龄，分为童婚、早婚和晚婚。依结婚的次数，分为初婚和再婚。依当事人是否同时具有数个婚姻关系，分为单婚和重婚。依婚姻是否具有法律效力，分为有效婚和无效婚。依婚姻是否为男女异性间的行为，分为两性婚和同性婚。还有顺缘婚和逆缘婚。姐死娶妹，妹死娶姐，为顺缘婚。兄亡收嫂，弟亡收弟媳，称逆缘婚。

在人们的习俗中，依婚姻的年限，有许多美好的称谓：结婚一周年为纸婚，五周年为木婚，十周年为锡婚，二十五周年为银婚，五十周年为金婚，七十五周年为钻石婚。

在我国，婚姻因男女双方办理结婚登记手续而成立。

婚姻关系终止的原因有三：一是配偶一方死亡；二是离婚；三是宣告婚姻被撤销。

三、婚制

我国远古时期就产生了婚制。据载：太皞庖曦氏始制嫁娶，以俪皮为礼。上古男女无别，太昊始设嫁娶，以俪皮为礼。正姓氏，通媒妁，以重人伦之本，而民始不渎。

古时的婚字为昏。《礼记·昏义》唐孔颖达疏："娶妻之礼，以昏为期。因名焉。必以昏者，取其阴来阳往之义，日入后二刻半为昏，以定称之。婿曰昏，妻曰姻……谓婿以昏时而来，妻则因之而去也。"汉班固在《白虎通》中曰：昏者，昏时行礼，故曰昏。姻者，妇人因夫，故曰姻。古时婚姻重在亲迎，亲迎必以黄昏之时，故称为昏。

奴隶社会时以礼调整婚姻嫁娶。《礼记·昏义》曰："昏礼者，将合二姓之好，上以事宗庙，而下以继后世也，故君子重之。"周时制聘娶六礼:纳采、问名、纳吉、纳征、请期、亲迎。

纳采是嫁娶的第一道程序。男家使媒妁向女家下通言,表示求婚的愿望。女家许之后,男家乃使人用雁做彩礼送给女家。

纳采礼行毕,即行问名礼。宾执雁,请问名,主人许,授如初礼。问名先问女之生母之姓名,以辨嫡庶。再问女方本人之姓名和生庚。

男家将所问知情况告于庙。卜得吉兆,再遣使者往女家告之,婚姻之事定矣。未卜时恐有不吉,婚姻不定,故双方通婚待纳吉而定。

纳征又称纳币,指男家向女家交纳聘财。《仪礼·士昏》记载:"纳征,玄熏、束帛、俪皮。如纳吉礼。"当时的聘财为玄熏、束帛、俪皮。征者,成也。纳聘财,婚事成。

请期是男家卜得吉日,乃遣使者到女家告之迎娶之日。请期是请求期曰之意,用请字,示男家未自尊。请期用雁。

亲迎是指男方至期亲往女家迎娶。亲迎中有一系列欢快喜闹的礼仪,将嫁娶推向高潮。拜堂、合卺是亲迎中的重要仪节。

拜堂又名拜天地。新郎新娘拜天神地祇,求得人伦之义。拜列祖列宗,拜尊亲,女子才能成为男方家族的一员。拜花烛,郎娘交拜,使夫妻合为一体。

合卺,是破匏瓜为二,以线连柄端,制成匏爵,男女各执一个,以酒漱口,以示二人自此结为永好。《礼记·昏义》载:"妇至,婿揖妇以入。共牢而食。合卺而酳。"以一匏分为二瓢谓之卺,婿与妇各执一片以酳,故云合卺而酳。匏指匏瓜,俗称瓢葫芦,一年生攀缘草本植物,茎上有卷须,果实扁球形,成熟后皮坚硬,对半剖开可做瓢。酳,指食毕用酒漱口。合卺用匏,有三意:一是匏瓜剖之为二,合之为一。喻夫妻二人合为一体。二是匏苦不可食,用来盛酒,酒变苦酒,以苦酒漱口,喻夫妻当同辛苦也。三是匏为八音之一,笙、竽等属匏类,音韵调和,喻夫妻和谐。

聘娶六礼中，雁是贽见的礼品。何以为此？后汉班固在《白虎通·嫁娶》中作了解释："《礼》曰：女子十五许嫁，纳采、问名、纳吉、请期、亲迎，以雁为贽。纳征用玄熏，故不用雁也。贽用雁者，取其随时而南北，不失其节，明不夺女子之时也；又是随阳之鸟，妻从夫之义也；又取飞成行，止成列也，明嫁娶之礼，长幼有序，不相逾越也。又昏礼贽不用死雉，故用雁也。"古人以雁为礼，一取雁是候鸟，每年秋分时节南去，春分时节北返，来往有时，从不失信。喻男女婚前互守信约，婚后夫妻坚贞不渝。二取雁是随阳之鸟，喻妇人出嫁从夫；三取雁行有序，飞时成行，止时成列，徙迁中老壮雁率前引导，幼弱雁尾随跟紧，井然不紊，喻嫁娶之礼，长幼有序，不相逾越。由于雁是飞禽，不易得，后人则以鹅代雁，谓之"雁鹅"。

从"以俪皮为礼"到六礼有一个漫长的演变过程，唐杜佑在《通典》中作了描绘："遂皇始有夫妇之道。伏羲氏制嫁娶，以俪皮为礼。五帝驭时，娶妻必告父母。夏亲迎于庭。殷于堂。周制限男女之岁，定婚姻之时，亲迎于户，六礼之仪始备。"封建婚制除继续沿用嫁娶六礼外，并于法典中编置户婚律、九章律、北齐律、开皇律、永徽律、宋刑统、大元通制、大明律、大清律例中都有户婚的内容，以刑罚手段调整婚姻家庭关系。

清末由于德日立法的影响，清王朝编纂了《大清民律草案》，其第四编为亲属。中华民国国民政府于 1920 年 12 月 26 日公布了民法亲属编，1921 年 5 月 5 日施行，婚姻关系于亲属编之中。新中国成立后，我国台湾地区继续沿用此法，并于 1985 年重新修订，5 月 24 日"立法院"三读通过，6 月 3 日经"总统令"公布施行。

1931 年 11 月 26 日，中华苏维埃共和国中央执行委员会第一次会议通过了《中华苏维埃共和国婚姻条例》。12 月 1 日，中央执行委员会主席毛泽东同志签署公布了这个法规。该条例确定男女婚姻以自由为原则，废除一切封建的包办强迫和买卖的婚姻制度，禁止童养媳，实行一夫一妻，禁止一夫多妻，在此基础上，1934 年 4

月8日,中央工农政府又颁布了《中华苏维埃共和国婚姻法》。以后,共产党领导的边区民主政府亦制定了婚姻条例,如1942年1月5日颁布《晋冀鲁豫边区婚姻暂行条例》。1943年2月4日颁布《晋察冀边区婚姻条例》。1946年5月22日颁布《陕甘宁边区婚姻条例》。这些婚姻法规,确立了我国新的婚姻制度的各项原则,对于民主革命时期婚姻制度的改革起了重要作用。

中华人民共和国成立后,1950年4月13日,毛泽东同志主持的中央人民政府委员会第七次会议通过了《中华人民共和国婚姻法》,中央人民政府于1950年5月1日颁布了此法。这是新中国制定的首部法律,是进行婚姻家庭制度改革的重大立法步骤。婚姻法的全部内容,为一个基本原则所贯彻,就是废除包办强迫、男尊女卑、漠视子女利益的封建婚姻家庭制度,实行婚姻自主、一夫一妻、男女平等、保护妇女和儿童权益的新民主主义婚姻家庭制度。为了贯彻婚姻法,1953年2月1日,周恩来总理签署发布了政务院关于贯彻婚姻法的指示,确定1953年3月为贯彻婚姻法运动月,要求在全国范围内(除少数民族地区和土地改革尚未完成地区)开展一个宣传婚姻法和检查婚姻法执行情况的群众运动。1953年3月的贯彻婚姻法运动,是对封建婚制的一次大清扫,对于建立和发展社会主义婚姻家庭制度具有重要意义。

1980年,我国总结了三十年来婚姻法的实施经验和问题,第五届全国人民代表大会第三次会议通过了新的《中华人民共和国婚姻法》。

1950年和1980年两部婚姻法的贯彻实施,给我国人民的婚姻家庭生活带来深刻变革。自主婚姻和男女平等、民主和睦的家庭关系成为社会生活的主导,晚婚和少生优生为更多的人所接受。但又由于种种原因,改革开放中有的地方出现了忽视社会主义精神文明建设的倾向,致使非法同居、纳妾、拐卖妇女儿童、遗弃老人等违法行为又有所滋长和蔓延。为了巩固社会主义婚姻家庭关系，纠正违反婚姻法的各种丑恶现象，在纪念1950年婚姻法诞生四十周年和1980年婚姻法颁布十周年之际，民政部、中共中央宣传部、司法部、计划生育委员会、文化部、广播电影电视部、解放军总政治部、中华全国总工会、共青团中央、全国妇女联合会发出关于开展宣传婚姻法活动的通知。1990年4月至5月间，全国开展了进一步贯彻婚姻法的活动，并取得良好效果。

四、1980年婚姻法的修改

（一）修改婚姻法的起因

第九届全国人大常委会将婚姻法的修改列入立法规划。为什么要修改婚姻法？应该说1980年婚姻法实施二十年来，我国婚姻家庭关系总体上是好的。婚姻自主、夫妻平等、尊老爱幼、和睦团结是主流，但在新形势下也出现了一些亟待解决的问题。

第一个问题：1980年婚姻法规定，夫妻在婚姻关系存续期间所得的财产，归夫妻共同所有，双方另有约定的除外。随着经济的发展，夫妻财产日益多样、丰厚，财产关系日趋复杂，为了更好地规范夫妻财产关系，修正案对夫妻共同财产、个人特有财产和约定财产制作了具体规定。

第二个问题：包"二奶"现象。

1999年6月全国妇联给全国人大常委会的报告中写道，现实中"重婚纳妾，非法同居，婚外恋数量增多"。据调查，深圳妇联接待关于包"二奶"的投诉，1996年为69宗，1997年为96宗，1998年为200宗。东莞市人民法院1996年至1998年受理婚姻纠纷案2101宗，涉及包"二奶"的为578宗，占27%。有的包养"二奶"、"三奶"、甚至"四奶"，有的公开重婚，妻妾共室。包"二奶"这种丑恶现象，是对一夫一妻制的挑战，它败坏社会风气，影响社会稳定。修改婚姻法应该打击包"二奶"现象，遏制其蔓延势头。

第三个问题：家庭暴力。

据妇联反映，家庭暴力案件在一些地方呈上升趋势。据1997

年全国妇联对15个省市的信访统计,因家庭暴力引起的上访案件占婚姻家庭问题总数的34.5% 。在“清官难断家务事”的传统观念影响下,司法机关一般不愿介入,对可能酿成恶果的家庭暴力没有给予足够重视。恶性案件发生后往往取证困难,等到对触犯刑律者进行处罚时,妇女权益已被严重侵害无法挽回。

(二)修改婚姻法的方式

如何修改婚姻法,是另起炉灶,重新制定一部婚姻法,还是在1980年婚姻法基础上作适当修订,这是修改婚姻法工作中首先遇到的问题。一种意见认为,应当将1980年婚姻法从条文到内容都作大幅度修改。另一种意见认为,1950年婚姻法和1980年婚姻法都是部好的法律,这次修改婚姻法应以1980年婚姻法为基础,针对现实亟待解决的问题,作适当的修改,可改可不改的条文,不改,以维护婚姻法的稳定性。

这次修改采用修正案的方式修改1980年婚姻法,而不是废止它。婚姻法的完善可分两步走,第一步是对现行婚姻法作适当修改,第二步是将婚姻法、收养法、民法通则的监护、继承法的亲属关系等编纂为民法典中的亲属编或者婚姻家庭编。

(三)修改婚姻法的过程

按照第九届全国人大常委会的立法计划,修改婚姻法的起草工作由全国人大常委会法制工作委员会负责,全国妇联等部门积极参与,做了大量工作。1999年6月11日,婚姻法专家草拟了《中华人民共和国婚姻家庭法(法学专家建议稿)》,计十一章,一百四十七条。2000年8月7日,全国人大常委会法制工作委员会办公室印发了《中华人民共和国婚姻法修正案(征求意见稿)》。2000年10月16日全国人大常委会委员长会议将《中华人民共和国婚姻法修正案(草案)》提请全国人大常委会审议。2000年10月23日至31日举行的第九届全国人大常委会第十八次会议初次审议了《中华人民共和国婚姻法修正案(草案)》。2000年12月

22日至29日举行的第九届全国人大常委会第十九次会议召开联组会再次审议了《中华人民共和国婚姻法修正案（草案）》。2001年1月11日全国人大常委会办公厅公布了《中华人民共和国婚姻法修正案（草案）》，征求全民意见。2001年4月24日至28日举行的第九届全国人大常委会第二十一次会议审议通过了《关于修改〈中华人民共和国婚姻法〉的决定》。2001年4月28日中华人民共和国主席江泽民发布第51号主席令，公布《关于修改〈中华人民共和国婚姻法〉的决定》，并重新公布了《中华人民共和国婚姻法》。

我国婚姻法是调整婚姻家庭关系的基本准则，它对于巩固社会主义婚姻制度，维护家庭和睦，促进社会安定团结，促进社会主义精神文明建设，都有重要作用。

第二条　实行婚姻自由、一夫一妻、男女平等的婚姻制度。

保护妇女、儿童和老人的合法权益。

实行计划生育。

【释义】　本条未作修改，规定了我国的婚姻制度和原则。

一、婚姻自由原则

婚姻自由又称婚姻自主，是指婚姻当事人享有自主地决定自己的婚姻的权利。婚姻当事人按照法律的规定，有权基于本人的意志，自主自愿地决定自己的婚姻问题，不受他人的干涉和强制。

婚姻自由包括结婚自由和离婚自由。结婚自由，就是结婚须男女双方本人完全自愿，不许任何一方对他方加以强迫，或者第三人加以干涉。保障婚姻自由，是为使男女双方能够依照婚姻法的规定，基于自己的意愿结成共同生活的伴侣，建立幸福美满的家庭。所谓离婚自由，是指婚姻当事人有权自主地处理离婚问题。双方自愿离婚的，可以协商离婚。一方要求离婚的，可以诉至法院解决。保障离婚自由，是为使无法维持的婚姻关系得以解除，当事人免除婚姻名存实亡的痛苦。结婚自由和离婚自由是统一的，二者相互结合缺一不可。

婚姻自由原则最先是资产阶级提出来的，它是资产阶级反封建斗争的产物。资产阶级把婚姻自由宣布为一种天赋的“人权”，用以抨击封建的包办、买卖婚姻，这在历史上具有进步意义。但资产阶级的婚姻自由又是虚伪的。在资本主义社会中，婚姻被看作是一种契约，婚姻自由是契约自由的特殊形式，婚姻始终为金钱、权势、美色所左右。社会主义的婚姻基于本人的意愿，这种婚姻上的自由是社会主义婚姻制度的重要基石，是在婚姻领域反封建、反资本主义影响的法律武器。

婚姻自由既与包办、买卖婚姻相对立，又与轻率地对待婚事毫无共同之处。实行婚姻自由，并不是一个人在自己的婚姻问题上可以随心所欲，放任自流，想“结”就“结”，想“离”就“离”，而是必须依照法律的规定处理婚姻大事。坚持婚姻自由，更与在两性关系上任意放荡、违法乱纪、道德败坏的行为水火不相容。每一公民都应当在法律规定的范畴内正确行使婚姻自由的权利。

二、一夫一妻制原则

一夫一妻制是一男一女结为夫妻的婚姻制度。也就是说，一个男人只能娶一个妻子，一个妇女只能嫁一个丈夫，不能同时与两个或两个以上的人缔结婚姻。一夫一妻制是社会主义婚姻制度的基本原则，是在婚姻关系上实现男女平等的必要条件，也是男女真心相爱、建立美满婚姻的要求。

三、男女平等原则

男女平等，是指妇女在政治的、经济的、文化的、社会的和家庭的生活各个方面，有同男子平等的权利和义务。男女平等是婚姻法的一项基本原则，根据这个原则，男女两性在婚姻关系和家庭生活的各个方面，均享有平等的权利，承担平等的义务。婚姻法中男女平等的原则在内容上很广泛，它包括：男女双方在结婚、离婚问题上的权利义务是平等的,夫妻双方在家庭中的地位是平等的,其他男女家庭成员之间的权利义务也是平等的。夫妻间、其他家庭成员间的平等关系,是我国男女两性法律地位平等在婚姻家庭领域中的体现,它是建立美满的婚姻关系和发展和睦的家庭生活的重要保障。

四、特别保护妇女、儿童、老人权益的原则

特别保护妇女、儿童、老人的权益,是婚姻法的一项重要原则。特别保护妇女的权益和实行男女平等是一致的。社会主义制度使妇女获得了同男子平等的权利,但重男轻女的旧习俗不可能在短时期内完全消除。因此,法律不仅要规定男女平等,还要根据生活的实际情况,对妇女的权益给予特殊的保护。婚姻法中规定保护妇女的内容十分广泛。如该法特别规定:"女方在怀孕期间、分娩后一年内或中止妊娠后六个月内,男方不得提出离婚。"特别保护妇女权益,对于促进妇女的彻底解放,发挥她们在建设祖国中的"半边天"作用,有着重要意义。

保护儿童,是培养革命接班人的需要。为了孩子们的健康成长,婚姻法规定:父母有抚养子女的义务,这种义务不因离婚而免除,保障婚生子女、非婚生子女、养子女、继子女的权益,禁止溺婴、弃婴和其他残害婴儿的行为。收养法中禁止借收养名义拐骗、买卖儿童。民法通则为未成年人设立监护制度。这些都是对儿童的法律保护。抚育子女,是父母不可推诿的天职。父母要关心子女的身心健康,履行抚养职责,使子女在德智体美劳诸方面全面发展。

特别保护老人的权益,是社会主义家庭的重要任务。赡养老人,是我国人民的美德。父母为了子女的健康成长,长期付出了辛勤的劳动,尽了自己的职责。当他们年老多病,丧失劳动能力或生活发生困难的时候,子女就要承担起赡养的义务。社会主义社会的赡养与封建的孝道,有着本质的不同。在社会主义制度下,对老人的生活照顾，首先是由国家、集体承担的，但国家、集体的物质帮助，不能取代家庭成员对老人的赡养责任。作为子女要自觉履行赡养义务，尊老养老，使老人安然度过晚年。

五、计划生育原则

推行计划生育是我国的一项基本国策，也是婚姻家庭制度的又一原则。夫妻应当履行计划生育的义务。收养子女，也要符合计划生育的原则。实行计划生育，是社会主义制度下有计划地调节人口再生产的客观要求。我国现有13亿人口，只有有计划地控制人口繁衍，使人口增长同社会经济发展计划相适应，与生态环境的保护相协调，才能使国民经济得到大的发展，人民生活得到明显改善，全民族的科学文化水平和健康水平得到更大的提高。全国人大常委会目前正在审议有关人口与计划生育方面的法律草案，具体如何开展计划生育，可适用有关法律。

第三条　禁止包办、买卖婚姻和其他干涉婚姻自由的行为。禁止借婚姻索取财物。

禁止重婚。禁止有配偶者与他人同居。禁止家庭暴力。禁止家庭成员间的虐待和遗弃。

【释义】　本条作了修改，规定了婚姻法所禁止的行为。

一、禁止包办、买卖婚姻和其他干涉婚姻自由的行为。禁止借婚姻索取财物

坚持婚姻自由原则，就要反对包办婚姻和买卖婚姻，禁止借婚姻索取财物。

包办婚姻，是指第三人违反婚姻自主的原则，包办强迫他人婚姻的违法行为。买卖婚姻，是指第三人以索取大量财物为目的，强迫他人婚姻的违法行为。买卖婚姻往往表现为第三人向男方要嫁女的身价以及贩卖妇女与人为妻。借婚姻索取财物是指除买卖婚姻以外的其他以索取对方财物为结婚条件的违法行为。

包办婚姻和买卖婚姻都是违反婚姻自由的原则、强迫他人婚姻的行为。它们的区别在于是否以索取钱财为目的。包办婚姻、买卖婚姻都是剥削社会婚姻制度的产物,是和社会主义婚姻制度根本不相容的,必须坚决禁止。其他干涉婚姻自由的行为也在法律禁止之列。对于以暴力干涉他人婚姻自由的人和拐卖妇女的人贩子,要严加惩办。

买卖婚姻和借婚姻索取财物都是以索取一定数量的财物为结婚的条件,二者的区别是:买卖婚姻是把妇女的人身当作商品,索取嫁女的身价或者贩卖妇女,包办强迫他人的婚姻;借婚姻索取财物,则不存在包办强迫他人婚姻的问题。借婚姻索取财物有多种表现,譬如,双方婚事基本上是自愿的,但女方认为不要彩礼就降低了“身价”,于是就向男方要许多东西。又如,有的女方父母向男方索取一定财物,作为同意女儿出嫁的条件。借婚姻索取财物的行为往往给当事人的婚姻和婚后生活带来困难,也腐蚀了人们的思想,败坏了社会风气,故亦为婚姻法所禁止。至于父母、亲友或者男女双方出于自愿的帮助、赠与,则不能认为是买卖婚姻和借婚姻索取财物的行为,因为这种赠与不是婚姻成立的条件。

二、禁止重婚

实行一夫一妻制就必须反对重婚。刑法第二百五十八条规定:“有配偶而重婚的,或者明知他人有配偶而与之结婚的,处二年以下有期徒刑或者拘役。”所谓重婚,是指有配偶的人又与他人结婚的违法行为。有配偶的人,未办理离婚手续又与他人登记结婚,即是重婚;虽未登记结婚,但事实上与他人以夫妻名义而公开同居生活的,亦构成重婚。明知他人有配偶而与之登记结婚,或者虽未登记结婚,但事实上与他人以夫妻名义同居生活,也构成重婚。不以夫妻名义共同生活的姘居关系,不能认为是重婚。重婚是剥削阶级玩弄异性、压迫妇女的罪恶行径,故婚姻法明令禁止重婚。对于重婚的,不仅要解除其重婚关系,还应追究犯罪者的刑事责任。

纳妾指有配偶的男子又娶女子为偏房。妾是旧社会一夫多妻的产物。纳妾是一种重婚行为,应当坚决取缔。近年来出现的包“二奶”,妻与“二奶”同堂的,相当于纳妾,应当予以惩治。

三、禁止有配偶者与他人同居

除重婚外,其他有配偶者与他人同居的行为也在禁止之列。其他有配偶者与他人同居的行为指有配偶者与第三人未以夫妻名义共同生活,如姘居关系。

近几年在有些地方“包二奶”、养情人现象呈增多趋势,已严重破坏一夫一妻的婚姻制度,严重违背社会主义道德风尚,败坏社会风气,导致家庭破裂,甚至发生情杀、仇杀、自杀,严重影响社会安定,还影响计划生育。这次修改,增加规定禁止有配偶者与他人同居,上述现象构不成重婚的,可依照这个规定处理。同时增加规定有配偶者与他人同居导致离婚的,无过错方有权请求损害赔偿。对于其他违反一夫一妻制的行为,由于情况比较复杂,还应当通过党纪、政纪、道德、教育等多种手段、多种渠道予以解决。这样修改,有利于加大对上述现象的遏制力度,更好地保护受害人的合法权益,切实维护一夫一妻的婚姻制度。

四、禁止家庭暴力、禁止虐待和遗弃

建立和维护平等、和睦、文明的婚姻家庭关系,就必须禁止家庭成员间的虐待和遗弃,禁止一切形式的家庭暴力。

家庭成员间的虐待,是指用打骂、冻饿、有病不给治疗等方法摧残、折磨家庭成员,使他们在肉体上、精神上遭受痛苦的行为。虐待家庭成员,破坏了家庭的和睦生活,违背了社会主义道德准则,亦为法律所不容。虐待家庭成员,情节恶劣的,即构成虐待罪,要受刑法所制裁。

除禁止家庭成员的虐待外,也要禁止其他形式的家庭暴力。是将家庭暴力含于虐待中禁止,还是禁止一切形式的家庭暴力,是修改婚姻法中争论的一个问题。考虑到虐待和家庭暴力虽有重合之处,但虐待不能包括有的家庭暴力行为,如夫妻之间吵架,丈夫一怒之下失手打死妻子,像这种行为,属于家庭暴力,但不属于虐待,在刑法上适用过失杀人罪,不适用虐待罪。因此,修改婚姻法时单独规定禁止家庭暴力。

家庭成员间的遗弃,是指对于年老、年幼、患病或其他没有独立生活能力的人,负有赡养、抚养或扶养义务的人不履行其义务的行为。家庭成员间的遗弃,主要包括子女不履行赡养义务而遗弃老人,父母不履行抚养义务而遗弃子女,丈夫不履行扶养义务而遗弃妻子或者妻子不履行扶养义务而遗弃丈夫等行为。遗弃家庭成员是极端个人主义思想的反映,是违反社会公德的可耻行为。遗弃家庭成员情节恶劣构成遗弃罪的,要依刑法第二百六十一条的规定,处五年以下有期徒刑、拘役或者管制。

第四条 夫妻应当互相忠实,互相尊重;家庭成员间应当敬老爱幼,互相帮助,维护平等、和睦、文明的婚姻家庭关系。

【释义】 本条是新增条文,规定了婚姻家庭中的道德规范。

调整婚姻家庭关系涉及法治和德治,两者是相辅相成、相互促进、缺一不可的。婚姻家庭关系十分复杂,涉及保障公民人身权、财产权,维护社会主义秩序等问题应当依靠法治的权威性和强制性手段来规范人们的行为;涉及思想品行、生活习俗等问题应当依靠德治的感召力和劝导力提高人们的思想认识和道德觉悟。树立正确的世界观、人生观、价值观,实行继承优良传统与弘扬时代精神相结合,尊重个人合法权益与承担社会责任相统一,努力形成健康和谐、积极向上的思想道德规范。大力倡导尊老爱幼、男女平等、夫妻和睦、勤俭持家、邻里团结的家庭美德。这些对于建立和维护平等、和睦、文明的婚姻家庭关系是至关重要的,也是法治所不能包办代替的。因此,修改婚姻法,必须坚持法治和德治相结合。

本条的规定是婚姻家庭道德规范的法律化，对于建立和维护平等、和睦、文明的婚姻家庭关系具有强有力的推动作用。婚姻以夫妻共同生活为目的，夫妻双方应当互相忠实。家庭的和睦是社会安定的重要基础，要提倡文明婚俗，鼓励家庭成员勤俭持家，建立互爱互助、和睦团结的婚姻家庭关系。

第二章 结 婚

本章规定了结婚的条件、程序、婚姻的无效和可撤销。

第五条 结婚必须男女双方完全自愿，不许任何一方对他方加以强迫或任何第三者加以干涉。

【释义】 本条是关于结婚自愿的规定。

结婚，又称婚姻的缔结，是男女双方按照法律的条件和程序确定夫妻关系的一种法律行为。

结婚有广义和狭义之分。广义的结婚既包括夫妻关系的建立，也包括缔结婚约，即订婚和结婚是一体的。中国封建习俗和法律，以及外国古代的一些法律多采广义说。狭义的结婚，仅指夫妻关系的建立，不包括婚约的缔结。近代、现代各国婚姻立法，多采狭义说。我国婚姻法也采狭义说，不认为订婚是婚姻成立的必经程序。

那么，是否男女双方生活在一起或组成家庭就是结婚？并非如此。根据我国婚姻法的规定，结婚应当具备以下三个特征：

(一)结婚的主体必须是异性男女。两性差别是婚姻关系成立的自然条件，我国法律不允许同性结婚。

(二)结婚必须符合法律规定的条件，按照法律规定的程序进行。对于不符合法律规定的结婚条件结婚的，我国婚姻法规定了婚姻无效，申请撤销婚姻制度，对于没有按照法律规定的程序组成家庭的，修改后的婚姻法规定应当补办登记。

(三)结婚形成夫妻间的权利义务关系，不经一定的法律手续,该种关系不得任意解除。

根据本条规定,结婚必须男女双方完全自愿,这是婚姻自由原则在结婚上的具体体现。该规定的核心是,男女双方是否结婚、与谁结婚,应当由当事者本人决定。它包括二层含义:第一,应当是双方自愿,而不是一厢情愿。婚姻应以互爱为前提,任何一方都不得强迫对方成婚。第二,应当是当事人自愿,而不是父母等第三者采用包办、买卖等方式强迫男女双方结为夫妻。结婚是男女之间以建立家庭、互为配偶为目的的两性结合,这种结合从本质上讲,是以爱情为基础的,而爱情只能产生于当事人自身,其他人决定男女情感的命运是违背婚姻本质的。当然,法律要求本人自愿,并不排斥男女双方就个人的婚事征求父母、亲友的意见,也不排斥父母、亲友等第三者出于对当事人的关心和爱护对他们的婚姻提出看法和建议。

第六条　结婚年龄,男不得早于二十二周岁,女不得早于二十周岁。晚婚晚育应予鼓励。

【释义】　本条是关于法定结婚年龄的规定。

婚姻的自然属性和社会属性要求,结婚只有达到一定的年龄,才能具备适合的生理条件和心理条件,也才能履行夫妻义务,承担家庭和社会的责任。所以,尽管我国法律赋予每个公民结婚的权利能力,但并非所有公民都可以成为婚姻法律关系的主体,只有达到法律规定的结婚年龄的人,才享有结婚的权利。

法定婚龄的确定,一方面要考虑自然因素,即人的身体发育和智力成熟情况,另一方面要考虑社会因素,即政治、经济及人口发展情况,因此,各国关于法定婚龄的规定有所不同:丹麦、波兰、美国一些州规定为男二十一岁,女十八岁;瑞士、越南规定为男二十岁、女十八岁;德国、俄罗斯、新加坡规定男女均为十八岁;日本、罗马尼亚、巴基斯坦规定为男十八岁,女十六岁;菲律宾规定为男十六岁，女十四岁。我国封建时代有早婚的习俗，唐朝男十五、女十三听婚嫁；宋明清时期男十六、女十四可以嫁娶；我国台湾地区“民法典”规定：“男未满十八岁，女未满十六岁者，不得结婚。”我国1950年婚姻法规定的法定婚龄为男二十岁，女十八岁。这与当时的政治、经济、文化发展水平，与人民群众的觉悟程度和接受能力相适应。1980年修改婚姻法时，一方面考虑适当提高法定婚龄有利于广大青年的身心健康、工作和学习，以及计划生育工作；同时也注意到法定婚龄过高，不符合自然规律的要求，也脱离群众、脱离农村实际。因此规定“男不得早于二十二周岁，女不得早于二十周岁”。这次修订婚姻法，有的同志建议将男女的结婚年龄统一为一个标准，或均为二十二周岁，或均为二十周岁。也有的同志建议降低法定婚龄。考虑到1980年确定的婚龄执行情况基本是可行的，因此没有作出修改。

我国婚姻法关于婚龄的规定，不是必婚年龄，也不是最佳婚龄，而是结婚的最低年龄，是划分违法婚姻与合法婚姻的年龄界限，只有达到了法定婚龄才能结婚，否则就是违法。法定婚龄不妨碍男女在自愿基础上，根据本人情况推迟结婚时间，为贯彻我国计划生育国策，婚姻法也鼓励晚婚晚育。一些单位以享受优惠政策的婚龄代替法定婚龄，不达到这一结婚年龄，不批准男女双方结婚，这样做是不妥的。法律是倡导晚婚，而不是强制晚婚，不是说结婚越晚越好。为保障在婚龄问题上严格执法，《婚姻登记管理条例》规定：“申请结婚的当事人，因受单位或他人干涉不能获得所需证明时，婚姻登记机关查明确实符合婚姻法和本办法规定的，也应予以登记，发给《结婚证》。”

婚姻法规定的婚龄具有普遍的适用性，但在某些特殊情况下，法律也允许对婚龄作出例外规定。比如考虑我国多民族的特点，婚姻法第五十条规定：“民族自治地方的人民代表大会有权结合当地民族婚姻家庭的具体情况，制定变通规定。”目前，我国一些民族自治地方的立法机关对婚姻法中的法定婚龄作了变通规定。比如新疆、内蒙古、西藏等自治区和一些自治州、自治县,均以男二十周岁,女十八周岁作为本地区的最低婚龄。但这些变通规定仅适用于少数民族,不适用生活在该地区的汉族。

第七条　有下列情形之一的,禁止结婚:

(一)直系血亲和三代以内的旁系血亲;

(二)患有医学上认为不应当结婚的疾病。

【释义】本条是关于禁止结婚的条件的规定,其中第(二)项对1980年婚姻法作了修改。

根据本条规定,法律禁止结婚的条件有两个:

一、禁止一定范围的血亲结婚

血亲主要指出于同一祖先,有血缘关系的亲属,即自然血亲;也包括法律拟制的血亲,即虽无血缘联系,但法律确认其与自然血亲有同等的权利义务的亲属,比如养父母与养子女,继父母与受其抚养教育的继子女。

禁止血亲结婚是优生的要求。人类两性关系的发展证明,血缘过近的亲属间通婚,容易把双方生理上的缺陷遗传给后代,影响家庭幸福,危害民族健康。而没有血缘亲属关系的氏族之间的婚姻,能创造出在体质上和智力上都更加强健的人种。因此,各国法律都禁止一定范围内的血亲结婚。比如日本民法禁止三亲等以内的旁系血亲结婚。瑞士民法典禁止直系尊血亲与直系卑血亲之间,全血缘或半血缘的兄弟姐妹之间,以及伯、叔、舅、姨父、姑父与侄女、外甥女之间,伯母、叔母、舅母、姑、姨与侄子、外甥之间结婚。我国也早有“男女同姓,其生不蕃”的说法,自西周以来,便禁止同姓为婚。唐代对同姓为婚处两年徒刑。明清律规定:同姓为婚者,各杖六十、离异。清末,将禁止同姓结婚改为禁止同宗为婚。我国台湾“民法”禁止下列亲属结婚:(1)直系血亲及直系姻亲。(2)

旁系血亲在六亲等以内者,但因收养而成立之四亲等及六亲等旁系血亲,辈分相同者,不在此限。(3)旁系姻亲在五亲等之内,辈分相同者,不在此限。新中国成立后,1950 年婚姻法除禁止直系血亲、同胞兄弟姊妹,同父异母或同母异父兄弟姊妹结婚外,对其他五代以内的旁系血亲间禁止结婚的问题,作了从习惯的规定。1980 年婚姻法除保留禁止直系血亲结婚的规定外,又明确规定禁止三代以内的旁系血亲结婚。此次修订婚姻法对于禁止血亲结婚的范围没有改动。也就是说,婚姻法禁止结婚的血亲有两类:

(一)直系血亲。包括父母子女间,祖父母、外祖父母与孙子女、外孙子女间。即父亲不能娶女儿为妻,母亲不能嫁儿子为夫。爷爷(姥爷)不能与孙女(外孙女)婚配,奶奶(姥姥)不能与孙子(外孙子)结合。

(二)三代以内旁系血亲。包括:(1)同源于父母的兄弟姊妹(含同父异母、同母异父的兄弟姊妹)。即同一父母的子女之间不能结婚。(2)不同辈的叔、伯、姑、舅、姨与侄(女)、甥(女)。即叔叔(伯伯)不能和兄(弟)的女儿结婚;姑姑不能和兄弟的儿子结婚;舅舅不能和姊妹的女儿结婚;姨妈不能和姊妹的儿子结婚。

在立法过程中,有的同志提出,在禁止结婚的旁系血亲的划分上,应适用国际上通用的"亲等"计算法。亲等是计算亲属亲疏远近的单位。即一世代为一亲等,亲等数越多,关系越远,亲等数越少,关系越近。国际上通用的亲等计算方法主要有:

1. 罗马法亲等计算法。

(1)直系血亲计算法。

从己身往上数,每经一代为一等亲;从己身往下数,每经一代也是一等亲。比如,往上数,自己与父母为一亲等直系血亲,与祖父母、外祖父母为二亲等直系血亲;往下数,自己与子女为一亲等直系血亲,与孙子女、外孙子女为二亲等直系血亲。

(2)旁系血亲计算法。

从己身上数至共同的直系血亲，再由共同的直系血亲下数至所要计算的亲属，其世代相加之数，就是己身与所指亲属的亲等数。比如，自己与同胞兄弟姐妹的共同直系血亲是父母为一亲等，再由父母数至兄弟姐妹也为一亲等，一加一等于二，自己与兄弟姐妹便为二亲等旁系血亲。自己与伯、叔、姑、舅、姨的共同直系血亲均上数至祖父母或者外祖父母，均为三亲等旁系血亲。堂兄弟姐妹间为四亲等直系血亲。

2. 寺院法的亲等计算法。

（1）直系血亲计算法。

与罗马法相同，即一代为一亲等。

（2）旁系血亲计算法。

从己身上数至共同的直系血亲，再从所指亲属也上数至共同的直系血亲。如果双方与共同的直系血亲间的代数相同，可按一方的代数定其亲等，代数不同，则按代数多的一方定其亲等。比如，同胞兄弟姐妹上数至父母，代数相同，为一亲等旁系血亲。己身与伯、叔、姑共同的直系血亲为祖父母，己身与祖父母是二亲等，伯、叔、姑与祖父母是一亲等，以己身的代数确定，伯、叔、姑、侄为二亲等旁系血亲。堂兄弟姐妹上数至祖父母，代数相同，也为二亲等旁系血亲。这种计算法往往不能准确地表示旁系血亲间的亲疏远近关系，不如罗马计算法科学。

我国婚姻法中的血亲计算方法类似罗马法的计算法。但不能简单换算。第一，我国的“代”是连己身算在内，而罗马法不计在内。第二，我国的三代以内旁系血亲在罗马法为四亲等旁系血亲，属于四代以内旁系血亲。考虑到我国的血亲计算方法已为群众熟悉，实践中也没有什么问题，再采用其他亲等计算方法，反而易引起混乱。因此，立法者对血亲的划分没有作出修订。

二、禁止患有医学上认为不应当结婚的疾病的人结婚

我国 1980 年婚姻法规定：“患麻风病未经治愈或患其他在医

学上认为不应当结婚的疾病”禁止结婚。修订婚姻法时，卫生部门的同志提出，解放初期，我国患麻风病的较多，现在我国已经基本消灭。麻风病不遗传、传染性小、发病率低，即使将病毒注入健康的人体内，也不一定发病，90%的人对麻风病有天然抵抗力。随着科学技术的发展，治愈麻风病已不存在问题。1999年世界卫生组织大会明确提出建立无麻风病的世界，标准是一万人不超过一人患麻风病，并取消了对麻风病隔离治疗的措施，像对其他传染病一样对待。我国提出的基本消灭麻风病的标准大大高于世界卫生组织的标准。因此，应当取消麻风病未治愈不宜结婚的规定。立法采纳了这一意见。

什么是医学上认为不应当结婚的疾病，婚姻法没有规定，母婴保健法规定，男女在结婚登记时，应当持有婚前医学检查证明或医学鉴定证明。婚前医学检查包括严重遗传性疾病、指定传染病、有关精神病三类疾病的检查。经婚前医学检查，对患指定传染病在传染期间内或者有关精神病在发病期内的，医师应当向男女双方说明情况，提出医学意见；经男女双方同意采取长效避孕措施或者施行结扎手术后不生育的，可以结婚。有的同志提出，母婴保健法虽然说明了婚检项目和暂缓结婚的情形，但并未确定禁婚疾病，再加上医生一般也不在婚检报告中明确婚检对象是否可以结婚，为结婚登记工作带来了困难。为此，修订婚姻法应当明确什么是禁止结婚的疾病。立法部门就此问题专门听取卫生部门和著名医学专家、教授意见。大部分人认为随着科学技术的发展，将会发现许多新的不宜结婚的病种，婚姻法不要求明确患哪种病不宜结婚，可以规定为“医学上认为不宜结婚的疾病”，具体由行政法规或有关部门规定。有人提出，遗传病种类很多，遗传基因不同，遗传的情况不同，患严重遗传疾病婚后生育的孩子不一定患遗传疾病。比如侏儒的遗传率为50%。如果结婚和生育分开，特别是随着科学技术的发展，有些遗传病是可以治愈的，婚姻法应当允许患遗传疾病的人结婚,但不宜生育。关于性病、艾滋病可否结婚,有不同看法。一种意见认为,艾滋病病毒感染者生育遗传比例是20%~30%,如用药可控制在4%以内。禁止艾滋病人结婚,是对艾滋病病毒感染者的歧视,与国家对艾滋病病毒感染者保密和保护的政策不符,不利于对艾滋病感染源的控制,实践中也难以操作。因现多数地方婚检项目不包括艾滋病检查,婚姻登记部门很难掌握谁是艾滋病病毒感染者。除古巴外,国外绝大多数国家不禁止艾滋病病毒感染者结婚。另一种意见认为,艾滋病传染性大、致死率高,对社会、家庭影响很大,不宜结婚。与会专家、教授的倾向性的意见是,法律明确规定禁止结婚的疾病很困难,对于患有某种传染病、遗传病的人,医生可以建议他们暂缓结婚,但对于可否结婚无决定权。如果一定要明确禁婚疾病,那么最好由卫生行政部门规定以下两种人不宜结婚:一是处于发病期的躁狂、抑郁型精神分裂症者;一是重度智力低下,生活不能自理者。这两种人无行为能力,不可能履行婚姻的权利义务,而且所患疾病极有可能遗传给后代,影响子女的身体健康。考虑上述意见,婚姻法对禁婚情形作了原则规定,即"医学上认为不应当结婚的疾病"。实践中,可依母婴保健法的规定确定禁止结婚或暂缓结婚的情形,也可由有关部门根据婚姻法原则制定具体规定。

第八条　要求结婚的男女双方必须亲自到婚姻登记机关进行结婚登记。符合本法规定的,予以登记,发给结婚证。取得结婚证,即确立夫妻关系。未办理结婚登记的,应当补办登记。

【释义】　本条是关于结婚程序的规定,对1980年婚姻法作了补充。

结婚除必须符合法律规定的条件外,还必须履行法定的程序。根据本条规定,结婚登记是结婚的必经程序。

结婚登记是国家对婚姻关系的建立进行监督和管理的制度。

登记制度，可以保障婚姻自由、一夫一妻原则的贯彻实施，保证婚姻当事人及其子女的身体健康，避免违法婚姻，预防婚姻家庭纠纷的发生，同时也是在婚姻问题上进行法制宣传的重要环节。认真执行关于结婚登记的各项规定，对于巩固和发展社会主义婚姻家庭制度具有重要意义。

一、婚姻登记机关

根据国务院《婚姻登记管理条例》的规定，国务院民政部门主管全国的婚姻登记管理工作。县级以上地方各级人民政府的民政部门主管本行政区域内的婚姻登记管理工作。婚姻登记管理机关，在城市是街道办事处或者市辖区、不设区的人民政府的民政部门，在农村是乡、民族乡、镇的人民政府。

婚姻登记机关的职责是：(1)办理婚姻登记；(2)出具婚姻关系证明；(3)依法处理违法的婚姻行为；(4)宣传婚姻法律，倡导文明婚俗。

二、结婚登记程序

结婚登记大致可分为申请、审查和登记三个环节。

(一)申请

1. 中国公民在中国境内申请结婚。

必须双方亲自到一方户口所在地的婚姻登记机关申请结婚登记，申请时，应当持下列证件和证明：(1)户口证明；(2)居民身份证；(3)所在单位、村民委员会或者居民委员会出具的婚姻状况证明。

离过婚的，还应当持离婚证。离婚的当事人恢复夫妻关系的，必须双方亲自到一方户口所在地的婚姻登记机关申请复婚登记。

在实行婚前检查的地方，申请登记的当事人，必须到指定的医疗保健机构进行婚前健康检查，向婚姻登记机关提交婚前检查证明。申请复婚的，可以不再进行婚前检查。

2. 中国公民同外国人(包括常驻我国和临时来华的外国人、

外籍华人、定居我国的外国侨民）在中国境内申请结婚。

男女双方当事人必须共同到中国公民一方户口所在地的省、自治区、直辖市人民政府指定的婚姻登记机关申请登记。申请登记的中国公民和外国人须分别持有下列证件：（1）中国公民须持有：1）本人户籍证明；2）本人户口所在地的县级人民政府或工作所在单位的县级以上机关、学校、事业、企业单位出具的本人姓名、性别、出生年月、民族、婚姻状况（未婚、离婚、丧偶）、职业、工作性质、申请与何人结婚的证明。（2）外国人须持有：1）本人护照或其他身份、国籍证件；2）公安机关签发的《外国人居留证》，或外事部门颁发的身份证件，或临时来华的入境、居留证件；3）经本国外交部（或外交部授权机关）和我国驻该国使、领馆认证的由本国公证机关出具的婚姻状况证明，或该国驻华使、领馆出具的婚姻状况的证明。（3）外国侨民须持有：1）本人护照或代替护照的身份、国籍证件（无国籍者免交）；2）公安机关签发的《外国人居留证》；3）本人户口所在地的县级人民政府或工作所在单位的县级以上机关、学校、事业、企业单位出具的本人姓名、性别、出生年月、民族、婚姻状况（未婚、离婚、丧偶）、职业、工作性质、申请与何人结婚的证明。

申请结婚的男女双方，还必须提交婚姻登记机关指定医院出具的婚前健康检查证明。

凡证件齐全、符合法律规定的中国公民和外国人，可持证件和男女双方照片，到婚姻登记机关提出申请。

申请婚姻登记的当事人，应当如实向婚姻登记机关提供规定的有关证件和证明，不得隐瞒真实情况。

（二）审查

婚姻登记管理机关对当事人的申请应当进行审查，查明结婚申请是否符合结婚条件，不明之处，应当向当事人询问，必要时，可要求当事人提供有关证明材料。

（三）登记

1. 予以登记。

婚姻登记机关对符合结婚条件的，应当即时予以登记，发给结婚证；对离过婚的，应注销其离婚证。但对中国公民和外国人的登记申请，应在收到申请后一个月内办理登记手续，发给结婚证。涉外婚姻的结婚证须贴有男女双方当事人照片，并加盖办理涉外婚姻登记的县级以上人民政府婚姻登记专用章。

申请结婚登记的当事人受单位或者他人干涉，不能获得所需证明时，婚姻登记管理机关查明确实符合结婚条件的，应当予以登记。

2. 不予登记。

申请人有下列情形之一的，婚姻登记机关不予登记：（1）未到法定结婚年龄的；（2）非自愿的；（3）已有配偶的；（4）属于直系血亲或者三代以内旁系血亲的；（5）患有医学上认为不应当结婚的疾病的。

婚姻登记机关对当事人的婚姻登记申请不予登记的，应当以书面的形式说明理由。当事人认为符合婚姻登记条件而婚姻登记机关不予登记的，可以依照行政复议法的规定申请复议，对复议不服的，可以按照行政诉讼法的规定提起行政诉讼。

三、事实婚姻问题

事实婚姻，指没有配偶的男女，未进行结婚登记，便以夫妻关系同居生活，群众也认为是夫妻关系的两性结合。

事实婚在我国长期大量存在，在广大农村特别是边远地区，事实婚甚至占当地婚姻总数的百分之六、七十。造成这一状况的原因主要有：（1）传统习俗的影响。我国民间流行仪式婚，许多人认为，只要举行了婚礼，亲朋好友认可，就是夫妻了，没有必要再履行法律手续。（2）婚姻登记不方便。根据《婚姻登记管理条例》的规定，婚姻登记管理机关在城市是街道办事处或者市辖区、不设区的市人民政府的民政部门，在农村是乡、民族乡、镇人民政府。而我国幅员辽阔，对于地理位置偏远、交通不便的地区，进行结婚登记有一定困难。(3)登记制度不健全。比如，有的当事人到了婚姻登记机关，因办事人员不在等原因不能登记。有的擅自提高法定婚龄，使当事人的合法权利不能得到实现。(4)婚姻登记搭车收费。比如有的要收计划生育押金、户口迁移保证金等。(5)法制宣传不够。人们的法制观念淡薄，对婚姻登记的重要性缺乏认识。有的人不具备法律规定的结婚条件，为逃避国家对婚姻的管理和监督，故意不登记，造成事实婚姻状态。

事实婚姻的效力，历来是法学界争论的重要问题。有的认为，承认事实婚，必然破坏婚姻登记制度，因此，凡不登记结婚的，应一律明确规定为无效婚姻。最高人民法院颁布的《关于人民法院审理未办结婚登记而以夫妻名义同居生活案件的若干意见》规定："1986 年 3 月 15 日婚姻登记办法施行前，未办结婚手续即以夫妻名义同居生活，群众也认为是夫妻关系的，如同居时或者起诉时双方均符合结婚的法定条件，可认定为事实婚姻；如同居时或者起诉时一方或者双方不符合结婚的法定条件，应认定为非法同居关系。""新婚姻登记管理条例施行之日(1994 年 10 月 1 日)起未办结婚登记即以夫妻名义同居生活，按非法同居关系对待。"全国人大法律委员会在审议修改婚姻法时认为，目前不登记"结婚"的人不少，未办理登记的原因很复杂，有的是不符合结婚条件，更多的是符合结婚条件，因收费过高或登记不便利造成的。对没有进行结婚登记的，应区别情况分别处理。对违反结婚实质条件的，婚姻法已规定为无效婚姻；对符合结婚实质要件，只是没有办理登记手续的，一律简单宣布为无效婚姻，对保护妇女的权益不利，应当通过加强法制宣传和完善登记制度等工作，采取补办登记等办法解决。因此，修改后的婚姻法第八条增加规定：符合本法规定的结婚条件，"未办理结婚登记的，应当补办登记。"这一规定从积极角度重申了办理结婚登记的必要性，那些符合婚姻法规定的结婚条件，举行了结婚仪式或已经以夫妻名义共同生活，但未办理结婚登记的男女，应尽早补办登记，以使自己的婚姻行为合法化。

第九条 登记结婚后，根据男女双方约定，女方可以成为男方家庭的成员，男方可以成为女方家庭的成员。

【释义】 本条是关于男女结婚后组成家庭的规定。

通常，结婚登记后，举办了婚礼，男女双方就开始了共同生活。根据双方的约定，男女可以到自己的住所，建立小家庭；或者一方到另一方家庭中去，成为其家庭成员。即女方可以到男方家去，男方也可以到女方家去落户。

在旧中国的婚姻制度下，一般是男娶女嫁，女到男家，男方虽然也有到女家的，但往往受到歧视，称男到女家为入赘，男方被社会看不起，上门赘婿往往还立有"小子无能，自愿入赘，改名换姓，一切听从"的字据，死后墓碑上常有"赵本王""李本杨"等字样，本上之姓乃妻家姓。新中国男女平等，男到女家不应受到歧视，应改变旧风俗。因此，1980 年婚姻法规定："登记结婚后，根据男女双方约定，女方可以成为男方家庭的成员，男方也可以成为女方家庭的成员。"这一规定体现了男女平等的原则，是对旧的婚姻习俗的改革，其立法精神是提倡男到女家落户的婚姻。这条的规定，对破除封建思想和习俗，推行计划生育，都十分有利。

本条规定基本上维持了 1980 年婚姻法的规定，修改之处是，根据有的常委委员的审议意见，删去了 1980 年婚姻法规定的"男方也可以成为女方家庭的成员"中的"也"字，进一步体现男女平等的婚姻家庭原则。

第十条 有下列情形之一的，婚姻无效：

（一）重婚的；

（二）有禁止结婚的亲属关系的；

（三）婚前患有医学上认为不应当结婚的疾病，婚后尚未治愈的；

（四）未到法定婚龄的。

【释义】 本条是关于无效婚姻的规定，是这次婚姻法修改增加的规定。

无效婚姻，是指欠缺婚姻成立的法定条件而不发生法律效力的男女两性的结合。

一、为什么要确立无效婚姻制度

婚姻法规定，结婚应当符合一定的条件，如结婚必须男女双方完全自愿；结婚年龄，男不得早于二十二周岁，女不得早于二十周岁；直系血亲和三代以内旁系血亲或者患有医学上认为不应当结婚的疾病的不得结婚等。

但现实生活中，由于当事人弄虚作假、欺骗婚姻登记机关或者婚姻登记机关不依法履行职责等原因，使某些不符合结婚条件的男女当事人也经婚姻登记机关办理了结婚登记手续成为夫妻。对这些不符合婚姻法规定的婚姻，是否承认其具有法律上的婚姻效力，对弄虚作假登记结婚，或者婚姻登记机关的登记员违法登记的，是否予以处罚，在 1980 年婚姻法中没有具体规定。1999 年，国务院颁布了《婚姻登记管理条例》，该条例规定：申请结婚登记的当事人有下列情形之一的，婚姻登记管理机关不予登记：（1）未到法定结婚年龄的；（2）非自愿的；（3）已有配偶的；（4）属于直系血亲或者三代以内旁系血亲的；（5）患有法律规定禁止结婚或者暂缓结婚的疾病的。申请婚姻登记的当事人弄虚作假、骗取婚姻登记的，婚姻登记管理机关应当撤销婚姻登记，对结婚、复婚的当事人宣布其婚姻关系无效并收回结婚证，并对当事人处以二百元以下的罚款。单位或者组织为申请婚姻登记的当事人出具虚假证件和虚假证明的，婚姻登记管理机关应当予以没收，并建议该单位或者组织对直接责任人员给予批评教育或者行政处分。办理结婚登记的工作人员，违反婚姻法及婚姻登记管理条例的规定对不符合结婚条件的予以登记的，婚姻登记管理机关应当对婚姻登记管理人员给予行政处分或者撤销其婚姻登记管理员的资格；并对仍不符合婚姻登记条件的当事人撤销婚姻登记，收回婚姻登记证书。这些规定，虽然只是简单地规定了对无效婚姻的处理意见，但对防止和制止违法婚姻，还是起到了积极的作用。但是，这些不是法律规定，有的时候对无效婚姻的处理还是缺乏法律依据，因此，从完备我国婚姻家庭法律制度，特别是完备我国无效婚姻制度的角度出发，在此次婚姻法修改中应当对无效婚姻作出明确的规定。

二、无效婚姻的情形

本条规定，有下列情形之一的，婚姻无效：(1)重婚的；(2)有禁止结婚的亲属关系的；(3)婚前患有医学上认为不应当结婚的疾病，婚后尚未治愈的；(4)未到法定婚龄的。

1. 重婚

婚姻法规定，我国实行一夫一妻的婚姻制度。因此，一夫一妻是我国婚姻家庭的基本制度。一夫一妻制是一男一女结为夫妻的婚姻制度。也就是说，一个男人只能娶一个妻子，一个妇女只能嫁一个丈夫。一个人不能同时与两个或两个以上的人缔结婚姻。换句话说，任何人都只能有一个配偶，不能同时有两个或更多的配偶。一夫一妻制是社会主义婚姻家庭制度的基本原则，是在婚姻关系上实现男女平等的必要条件，也是男女真心相爱、建立美满婚姻的要求。实行一夫一妻制就必须反对重婚。

所谓重婚，是指有配偶的人又与他人登记结婚的违法行为，或者明知他人有配偶而与他人登记结婚的违法行为。但现实中，一些人钻法律空子，婚外与他人共同同居生活，不办理结婚登记，而是以夫妻的名义共同生活。对此，1994 年 12 月，最高人民法院对四川省高级人民法院关于《婚姻登记管理条例》施行后发生的以夫妻名义非法同居的案件是否以重婚罪定罪处罚的批复是:“有配偶的人与他人以夫妻名义同居生活的,或者明知他人有配偶而与之以夫妻名义同居生活的,仍应按重婚罪定罪处罚。”按照刑法及司法解释的规定,构成重婚的法律要件是:当事人需履行婚姻登记手续;或者当事人以夫妻名义同居生活。依据上述,重婚有两种情况,一是有配偶者而重婚,指已经结婚的人,在婚姻关系存续期间,又与他人登记结婚,或者又与他人以夫妻的名义共同生活。二是明知他人有配偶而与之结婚,指没有配偶的人,明知他人有配偶而仍然与之登记结婚,或者仍然与之以夫妻的名义共同生活。重婚是被法律严格禁止的违法行为。婚姻法第三条第二款规定,禁止重婚。对于重婚的,不仅要确认重婚者的第二个“婚姻”无效,解除其重婚关系,还应当依法追究重婚者的刑事责任,对此,刑法第二百五十八条规定,有配偶而重婚的,或者明知他人有配偶而与之结婚的,处二年以下有期徒刑或者拘役。

由于重婚违反了我国一夫一妻的婚姻家庭制度,严重违背了社会主义道德风尚,影响家庭稳定和社会安定,冲击计划生育政策,导致腐败,败坏党风,因此婚姻法明确规定重婚(即指重婚者的第二个婚姻)是无效婚姻。国外许多国家的法律对重婚都是明令禁止的,并规定其为无效婚姻,如瑞士规定,结婚时配偶一方已经有婚姻关系的婚姻无效。俄罗斯规定,双方中有一方已与他人登记结婚的婚姻无效。菲律宾规定,重婚或多配偶的婚姻无效。我国台湾地区法律规定,违反有配偶者不得重婚或者一人不得同时与二人以上结婚规定的婚姻,为无效婚姻。

2. 有禁止结婚的亲属关系的

禁止近亲结婚,是人类长期生活经验的结晶,是人类婚姻的总结。男女近亲结婚,很容易把双方精神上和肉体上的弱点和缺点集中起来,遗传给下一代,有损于下一代的健康,不仅不利于下一代在社会中生活,也给国家、民族的兴旺和社会的发展带来不利的后果。因此,禁止近亲结婚是古今中外法律的通例。例如,我国《唐律疏议·户婚》中规定:“诸同姓为婚者,各徒二年,缌麻以上以奸论。”明律规定:“凡同姓为婚者,各杖六十,离异。”大清律例也对近亲结婚规定了罚则。在新民主主义革命中,《中华苏维埃共和国婚姻条例》第五条规定:“禁止男女五代以内亲族血统的结婚。”《晋冀鲁豫边区婚姻暂行条例》第十三条规定:“直系血亲,直系姻亲及八亲等以内之旁系血亲不得结婚。”1950 年婚姻法规定,为直系血亲,或为同胞的兄弟姐妹和同父异母或同母异父的兄弟姐妹者,禁止结婚;其他五代内的旁系血亲间禁止结婚的问题,从习惯。外国的法律也同样禁止近亲结婚。如俄罗斯联邦婚姻家庭法典规定,双方是直系亲属,或者是同胞兄弟姐妹,或者是同父异母、同母异父的兄弟姐妹,或者双方是收养人或被收养人,不准结婚。日本民法典亲属编规定,直系血亲或者三亲等的旁系血亲之间不得结婚。

近亲结婚对社会具有一定的危害性。因此,此次修正的婚姻法将有禁止结婚的亲属关系的婚姻规定为无效婚姻。国外也有将近亲属间的婚姻视为无效婚姻的规定,如瑞士、意大利、俄罗斯、菲律宾等国家就根据本国的情况,规定婚姻当事人是法律禁止结婚的直系、旁系血亲、姻亲或者有收养关系的婚姻为无效婚姻。瑞士规定,配偶双方是被禁止结婚的血亲或者姻亲的婚姻无效。我国台湾地区规定,违反直系血亲、直系姻亲或者旁系血亲、旁系姻亲之辈分不相同或者旁系血亲之辈分相同,而在八亲等以内者不得结婚规定的婚姻,为无效婚姻。本条中规定的“有禁止结婚的亲属关系的”,是指有婚姻法第七条第一项规定的禁止结婚的情形,即结婚的男女双方是直系血亲或者是三代以内的旁系血亲。

3. 婚前患有医学上认为不应当结婚的疾病

男女结婚组成家庭后,不仅开始了两个人的共同生活,夫妻互相依存、互相帮助、互相扶养,而且还承担着养育子女的义务。为了配偶及子女的身体健康，禁止患有严重疾病的男女双方结婚，其目的是防止当事人所患的疾病传染给对方特别是传染或遗传给下一代，保护下一代的健康，以利于家庭的和睦、幸福。如果结婚的男女双方在结婚时患有法律禁止结婚的疾病，那么，该婚姻则可以确认为无效婚姻。

这里需要注意的是，第一，婚姻当事人必须是婚前患有婚姻法第七条第二项规定的医学上认为不应当结婚的疾病。那么，哪些是医学上认为不应当结婚的疾病，婚姻法第七条第二项未作明确的规定，主要考虑的是，随着科学技术的发展，许多医学上认为不宜结婚的疾病会随之治愈，同时还会发现新的不宜结婚的疾病，因此，婚姻法不宜明确具体的规定哪种疾病是医学上认为不宜结婚的疾病。实际生活中，哪些是医学上认为不宜结婚的疾病，可由行政法规或有关部门具体规定。根据母婴保健法的规定，目前，医学上认为不应当结婚的疾病可以理解为以下疾病：严重遗传性疾病、指定传染病、有关精神病。母婴保健法第九条规定，经婚前医学检查，对患指定传染病在传染期内或者有关精神病在发病期内的，医师应当提出医学意见；准备结婚的男女双方应当暂缓结婚。经婚前医学检查，对诊断患医学上认为不宜生育的严重遗传性疾病的，医师应当向男女双方说明情况，提出医学意见；经男女双方同意，采取长效避孕措施或者施行结扎手术后不生育的，可以结婚。但《中华人民共和国婚姻法》规定禁止结婚的除外。指定传染病，是指《中华人民共和国传染病防治法》中规定的艾滋病、淋病、梅毒以及医学上认为影响结婚和生育的其他传染病。严重遗传性疾病，是指由于遗传因素先天形成，患者全部或者部分丧失自主生活能力，后代再现风险高，医学上认为不宜生育的遗传性疾病。有关精神病，是指精神分裂症、躁狂抑郁型精神病以及其他重型精神病。第二，导致婚姻无效的当事人所患的医学上认为不应当结婚的疾病，应当是当事人结婚前患有的，而不是结婚后患上的。因为婚姻法第七条明确规定，患有医学上认为不应当结婚的疾病的，是禁止结婚的，也就是说是根本不能结婚的。但在现实生活中，有的要求结婚的男女当事人弄虚作假，欺骗了婚姻登记机关，办理了结婚登记。再有，目前国家要求在有条件的地方，建立婚前健康检查制度。由于婚前健康检查没有普遍开展，因此，有的患有禁止结婚疾病的当事人办理了结婚登记手续。因此，婚姻法规定，当事人婚前患有医学上认为不应当结婚的疾病的婚姻为无效婚姻。如果婚姻当事人是在婚后患有医学上认为不应当结婚的疾病，或者在婚前患有医学上认为不应当结婚的疾病，在有关部门要确定其婚姻关系无效时，当事人的疾病已经治愈的，则不能确定其婚姻为无效婚姻。简而言之，对当事人婚前患有医学上认为不应当结婚的疾病的婚姻，应当在当事人疾病治愈前确认其婚姻无效。

4. 未到法定婚龄的

婚姻法第五条规定，结婚年龄，男不得早于二十二周岁，女不得早于二十周岁。男二十二周岁，女二十周岁，是男女可以结婚的法定年龄。法定结婚年龄是指法律规定的男女双方可以结婚的最低年龄，也就是说，男女双方不到这个年龄就不能结婚，只有达到或高于这个年龄才能结婚。对男女最低的结婚年龄予以规定，是古今中外法律的通例，其主要是由于婚姻关系的自然属性和社会属性所决定的。根据人类生长的规律，男女只有达到一定的年龄，其身体、生理和心理才发育成熟，如果过早的结婚，开始过性生活，会对男女双方当事人的身体和心理带来不利的后果。如果过早的结婚，当事人还不完全具备判断和处理事务的能力，很难承担婚后对家庭、子女和社会应尽的责任。因此，婚姻法确定的男二十二周岁、女二十周岁的法定结婚年龄，既考虑了男女青年的身心发育，又考虑到国家控制人口的政策，城乡群众的接受程度，是符合我国国情的。男女当事人结婚，未达到法定结婚年龄，违反了婚姻法关于法定结婚年龄的规定，因此，新修正的婚姻法将其规定为无效婚姻。国外也有这样的规定，如意大利、俄罗斯。俄罗斯规定，结婚的男女双方未到法定结婚年龄的，应认定婚姻无效。意大利规定，违反未成年不得结婚规定而缔结的婚姻无效。

这里需要注意的是，有关部门在确认某一个婚姻是否有效时，只能对男女当事人在有关部门确认其婚姻是否有效时仍未达到法定结婚年龄的婚姻，确认为无效婚姻。如果男女双方在结婚时的实际年龄低于法定结婚年龄一二岁，等一二年后，当事人或利害关系人申请确认婚姻无效，或有关部门要确认其婚姻无效时，男女双方当事人已达到法定结婚年龄的，不能确认其婚姻为无效婚姻。简而言之，对未到法定结婚年龄的婚姻，应当在男女当事人未到法定结婚年龄届至前提出或确认其婚姻无效。

新修正的婚姻法规定了上述四种无效婚姻。在此之前有关部门制定的行政法规如《婚姻登记管理条例》及司法解释等规范性文件规定的无效婚姻的情形，如果与本条的规定不一致，应当根据本条的规定作出相应修改。

第十一条　因胁迫结婚的，受胁迫的一方可以向婚姻登记机关或人民法院请求撤销该婚姻。受胁迫的一方撤销婚姻的请求，应当自结婚登记之日起一年内提出。被非法限制人身自由的当事人请求撤销婚姻的，应当自恢复人身自由之日起一年内提出。

【释义】　本条是关于可撤销婚姻的规定，是这次婚姻法修改增加的规定。

可撤销婚姻，是指当事人因意思表示不真实而成立的婚姻，或者当事人成立的婚姻在结婚的要件上有欠缺，通过有撤销权的当事人行使撤销权，使已经发生法律效力的婚姻关系失去法律效力。

在此次婚姻法修改中，对不符合婚姻法规定的结婚条件的婚姻，是都规定为无效婚姻，还是分别规定为无效婚姻、可撤销的婚姻，存在着不同的意见。

一种意见认为,新婚姻法不宜将不符合结婚条件的婚姻分为无效婚姻和可撤销婚姻二种情形,应当统一规定为无效婚姻。主要理由是:(1)我国实行的是结婚登记制度,要求结婚的男女在符合婚姻法规定的结婚应当具备的实质条件的情况下,还应当到婚姻登记管理机关履行结婚登记手续,婚姻登记管理机关对当事人要求结婚的申请进行审查,符合婚姻法规定的,予以登记,发给结婚证,取得结婚证,才确立了夫妻关系。即使要求结婚的男女当事人弄虚作假、欺骗婚姻登记机关或者婚姻登记机关不依法履行职责等,使某些欠缺结婚实质要件的男女当事人经婚姻登记机关办理了结婚登记手续,成为夫妻,那么,否认或者撤销这种婚姻关系的法律效力,必须由国家行使。因此,对不符合法定结婚条件的婚姻只有规定为无效婚姻,国家才能有权干预。(2)可撤销婚姻与法理相悖。结婚中的自由恋爱是当事人的私事,而结婚登记则是一种行政法律行为,行政行为没有民事行为中那种无效与可撤销的区分,不能滥套民事法律行为的规则。

另一种意见认为,新修正的婚姻法应当根据不同情形,分别规定无效婚姻和可撤销婚姻。主要理由是:(1)从法学理论上看,无效婚姻与可撤销婚姻是有区别的。如申请的当事人不同。可撤销婚姻必须由具有撤销权的"婚姻"当事人提出;无效婚姻除了"婚姻"当事人可以提出婚姻无效的申请外,国家有关部门或利害关系人也可以依职权或者依据法律的规定,提出某一婚姻关系为无效婚姻的申请。再如申请的时间不同。可撤销婚姻当事人提出撤销婚姻效力的申请必须在法律赋予其行使撤销权的期间内提出,超过该期间,撤销权消灭;提出婚姻无效的申请,往往以客观是否存在着法定无效婚姻的情形为准。(2)无效婚姻多是违反社会公德、违反社会公共利益的,对此种婚姻,国家应有主动干预的权力。可撤销婚姻多是违反私人利益的,对此只有当事人和法律规定的有请求权的特定人才能请求撤销婚姻关系。例如,因胁迫而结婚的,有的婚后建立了感情,家庭和睦。因此,是否撤销因胁迫而建立的婚姻关系,申请的权利宜由当事人行使。因胁迫结婚的应当规定为可撤销婚姻。

新修正的婚姻法在第十条中规定了无效婚姻,在本条中规定了可撤销婚姻。

依据本条的规定,因胁迫而缔结的婚姻是可以撤销其婚姻关系的。因胁迫而结婚,主要是指婚姻关系中的一方当事人或者婚姻关系之外的第三人,对婚姻关系中的另一方当事人,予以威胁或者强迫,使婚姻中的另一方当事人违背自己的意愿而缔结婚姻关系的婚姻。胁迫婚姻违反了结婚须男女双方完全自愿的原则,是违法婚姻,考虑到被胁迫的一方,在结婚时,虽然是违背了自己的意愿与他人缔结了婚姻关系,但有可能在和他人结婚后,组建了家庭,经过一段时间生活,与对方建立了一定的感情,婚姻关系还不错,特别是在有了孩子的情况下,与对方、与孩子更有一种难以割舍的关系,在这种情况下,法律明确规定胁迫婚姻为无效婚姻,不一定适当。经过反复研究,新修正的婚姻法将因胁迫而缔结的婚姻,规定为可撤销婚姻,把是否否认其婚姻效力的申请请求权交给受胁迫方。如果受胁迫方不想维持因胁迫而缔结的婚姻,可以向婚姻登记机关或向人民法院请求撤销该婚姻,经有关部门审查核实,宣告该婚姻没有法律效力;如果最初受胁迫,但后来愿意共同生活,则可以放弃申请撤销婚姻效力的请求权,婚姻登记机关或人民法院不能主动撤销当事人的婚姻关系。

本条规定,因胁迫结婚的,受胁迫的一方可以向婚姻登记机关或人民法院请求撤销该婚姻。受胁迫的一方撤销婚姻的请求,应当自结婚登记之日起一年内提出。被非法限制人身自由的当事人请求撤销婚姻的,应当自恢复人身自由之日起一年内提出。这一规定,对提出请求撤销婚姻效力的申请作了如下规定:

(一)提出撤销婚姻效力的请求权人

有权提出撤销婚姻效力的申请人只能是因胁迫结婚的被胁迫人。这是由于因胁迫而缔结的婚姻，受胁迫方在缔结婚姻关系时，不能真实的表达自己的意愿，婚姻关系违背受胁迫方的意志。为了贯彻执行婚姻自由的基本原则，保护当事人的合法权益，让受胁迫方能充分地表达自己的婚姻意志，婚姻法规定，尽管胁迫的婚姻已经成立，但是受胁迫方仍可以在胁迫的婚姻成立后向婚姻登记机关或者人民法院提出撤销其婚姻效力的申请。由于胁迫婚姻的另一方当事人在缔结婚姻关系时，并没有违背自己真实的婚姻意思，换句话说，他（她）在结婚时已经明确知道自己将与被胁迫方结婚，且愿意与其结婚，因此胁迫婚姻的这方当事人在婚姻关系成立后，没有提出撤销婚姻效力的请求权。

（二）提出撤销婚姻效力申请的时间

因胁迫而结婚的，受胁迫方虽然具有撤销该婚姻效力的请求权，但是这一请求权的行使不是没有任何限制的。本条规定，受胁迫的一方撤销婚姻的请求，应当自结婚登记之日起一年内提出。被非法限制人身自由的当事人请求撤销婚姻的，应当自恢复人身自由之日起一年内提出。这个规定表明，受胁迫方必须在法律规定的时间内行使撤销其婚姻效力的请求权。这是因为，因胁迫而缔结的婚姻往往是受胁迫方违背了自己的意愿而缔结的婚姻，如果结婚后受胁迫方自愿接受了已经成立的婚姻关系，那么法律就会让这个婚姻关系继续有效。如果结婚后受胁迫方不愿维持已经成立的婚姻关系，就可以请求婚姻登记机关或者人民法院撤销其婚姻效力，使已经缔结的婚姻关系失效。然而，如果受胁迫方长期不行使这个权利，不主张撤销婚姻的效力，就会使得这一婚姻关系长期处于一种不稳定的状态，不利于保护婚姻双方当事人的合法权益，特别是双方当事人所生子女的利益，也不利于家庭、社会的稳定。同时还可能使婚姻登记机关或者人民法院在判断是否撤销当事人婚姻效力时，由于时间太长而无法作出准确的判断。因此婚姻法规定，受胁迫方提出撤销婚姻效力的请求权必须在法律规定的时间内行使，如果超过了法律规定的期限还不行使，受胁迫方就失去了请求撤销婚姻效力的权利，其所缔结的婚姻为合法有效的婚姻，受胁迫方不得再以相同的理由申请撤销该婚姻。

依据本条的规定，受胁迫方行使请求撤销婚姻效力的请求权的期限是一年，也就是说在这一年期限内，受胁迫方必须决定是否提出请求撤销婚姻效力的申请，否则，受胁迫方就失去了提出申请撤销婚姻效力的权利。那么，这一年的期限从何时起算呢？本条规定的这一年期限的起算时间有两种情形：第一，自受胁迫方结婚登记之日起算，即受胁迫方应当在结婚登记之日起一年内决定是否申请有关部门撤销其婚姻的效力。第二，自受胁迫方恢复人身自由之日起算，即受胁迫方自恢复人身自由之日起一年内决定是否申请有关部门撤销其婚姻的效力。这种情况主要考虑到在胁迫的婚姻中，有的受胁迫方是被非法限制人身自由的，如绑架、拐卖的妇女被迫与他人缔结婚姻关系，这些妇女在被他人限制人身自由，有关部门未解救前，是无法提出撤销婚姻效力的申请的，故被非法限制人身自由的受胁迫方提出撤销婚姻效力的申请时间必须待其恢复人身自由之日起算。

修改婚姻法中，有些人提出应当规定欺诈的婚姻为可撤销婚姻。他们举了一些事例，如欺骗对方，说自己很有钱，能带其出国，又如伪造自己的学历、经历、职业、职务，如谎说自己家境显赫、富有，再如隐瞒自己的疾病，隐瞒自己的前科，隐瞒自己有子女，隐瞒自己与他人发生过性关系，隐瞒自己的已婚史，等等。婚姻法没有采纳这个意见。上述事例虽属欺诈，但却不能因此请求撤销婚姻关系。因为欺诈的情形非常复杂，有的欺诈，如隐瞒未到法定婚龄、禁止结婚的疾病，已婚的欺骗未婚的，本法第十条已规定为无效婚姻，其他因欺诈导致夫妻感情破裂的，可以通过离婚解除婚姻关系。

根据本条的规定，有权撤销婚姻关系的机构为婚姻登记机关或人民法院。

第十二条 无效或被撤销的婚姻,自始无效。当事人不具有夫妻的权利和义务。同居期间所得的财产,由当事人协议处理;协议不成时,由人民法院根据照顾无过错方的原则判决。对重婚导致的婚姻无效的财产处理,不得侵害合法婚姻当事人的财产权益。当事人所生的子女,适用本法有关父母子女的规定。

【释义】 本条是关于无效或者被撤销的婚姻的法律后果的规定,是这次婚姻法修改增加的规定。

本条对无效或者被撤销的婚姻的法律后果作了规定,即无效或被撤销的婚姻,自始无效。当事人不具有夫妻的权利和义务,同居期间所得的财产,由当事人协议处理;协议不成时,由人民法院根据照顾无过错方的原则判决。对重婚导致的婚姻无效的财产处理,不得侵害合法婚姻当事人的财产权益。当事人所生的子女,适用本法有关父母子女的规定。对这一规定具体可理解如下:

(一)无效或者被撤销的婚姻,婚姻关系自始不发生法律效力。即从当事人结婚之时,婚姻就没有法律效力,即使当事人骗取婚姻登记,该婚姻也是自始无效,而不是从婚姻登记机关或人民法院宣告之时起婚姻才没有法律效力。这种婚姻关系不论结婚的事实是否发生,结婚时间是否长久,婚姻关系被法律确认自始不存在,不受法律保护。

(二)无效或者被撤销的婚姻,当事人之间不具有夫妻的权利和义务。婚姻法规定,夫妻有互相扶养的义务。一方不履行扶养义务时,需要扶养的一方,有要求对方付给扶养费的权利。夫妻有相互继承遗产的权利。夫妻财产归各自所有的,一方因抚育子女、照料老人、协助另一方工作等付出较多义务的,离婚时有权向另一方请求补偿。另一方应当予以补偿。离婚时,如一方生活困难,另一方应从其住房等个人财产中给予适当帮助。因一方重婚或有配偶者与他人同居、实施家庭暴力或虐待、遗弃家庭成员而导致离婚的，无过错方有权请求损害赔偿。婚姻法有关夫妻权利义务的规定，前提是合法婚姻，是有效婚姻。由于无效婚姻、可撤销婚姻欠缺婚姻成立的法定条件，是违法婚姻。因此，婚姻法有关夫妻权利义务的规定对无效婚姻、被撤销婚姻的当事人都不适用。

（三）无效或者被撤销的婚姻，当事人所生子女的权利义务关系适用婚姻法有关父母子女间的权利义务的规定。无效婚姻、可撤销婚姻不具有法律效力，但由于男女当事人的同居关系，可能产生生儿育女的事实，随之而来的是对无效婚姻、可撤销婚姻所生子女法律地位的确定。从基本的法学理论看，由于无效婚姻、可撤销婚姻的男女双方没有合法的夫妻关系，因此，他们在共同生活期间所生的子女应为非婚生子女，但从世界各国的立法规定及司法实践看，许多国家都从保护子女利益出发，对无效婚姻、可撤销婚姻当事人共同生活期间所生的子女，采取保护的原则，承认其子女的合法地位。我国婚姻法确立的基本原则之一是保护妇女、儿童和老人的合法权益。婚姻法第二十五条规定，非婚生子女享有与婚生子女同等的权利，任何人不得加以危害和歧视。婚姻法在规定无效婚姻、可撤销婚姻当事人所生子女的法律地位时，坚持并贯彻了婚姻法的基本原则，规定无效或者被撤销的婚姻当事人所生子女的权利义务，与合法婚姻当事人所生子女的权利义务一样。如父母对子女有抚养教育的义务，子女对父母有赡养扶助的义务。父母不履行抚养义务时，未成年的或不能独立生活的子女，有要求父母付给抚养费的权利。子女不履行赡养义务时，无劳动能力或生活困难的父母，有要求子女付给赡养费的权利。父母有保护和教育未成年子女的权利和义务。在未成年子女对国家、集体或他人造成损害时，父母有承担民事责任的义务，婚姻关系被确认为无效或被撤销后，父母对子女仍有抚养和教育的权利和义务，一方抚养子女，另一方应负担必要的生活费和教育费等。不直接抚养子女的父或母,有探望子女的权利,另一方有协助的义务等。

(四)无效或者被撤销的婚姻,当事人同居期间所得的财产,由当事人协议处理;协议不成时,由人民法院根据照顾无过错方的原则判决。对重婚导致的婚姻无效的财产处理,不得侵害合法婚姻当事人的财产权益。

在婚姻法修改过程中,对如何规定无效婚姻、可撤销婚姻当事人同居期间所得财产的处理原则,存在着不同的看法。一种意见认为,无效婚姻、可撤销婚姻是违法婚姻,在解除其违法婚姻关系时,对当事人同居期间所得财产的处理应当与解除合法婚姻关系时处理财产的原则有所区别。处理无效或者被撤销婚姻当事人同居期间所得财产的原则应当是:(1)双方当事人同居期间各自的收入,认定为个人财产。双方各自继承和受赠的财产,按照个人财产对待。无效婚姻、可撤销婚姻被解除时,当事人一方个人的财产归个人所有。(2)同居期间当事人双方共同所得的收入和购置的财产,按照按份共有处理。婚姻被确认为无效或婚姻关系被撤销后,双方当事人都有权请求从共有财产中分割出属于自己的份额。(3)对同居期间为共同生产、生活而形成的债权、债务,债权按照按份共有处理,债务由双方协议偿还,协议不成时由人民法院依法判决,双方对债务互负连带责任。

另一种意见认为,无效婚姻、可撤销婚姻,虽然不符合法定的结婚条件,当事人之间不是合法的夫妻关系,但是,对当事人同居期间所得财产的处理原则,不宜完全按照民法通则按份共有的原则分割。因为在我国无效婚姻或者可撤销婚姻,当事人在同居期间,多数情况下男方是双方同居期间经济的主要来源,换句话说,男的挣的比女的多。如果按照按份共有分割当事人同居期间所得的财产,那么,男方分得的财产必定比女方多,而女方在与男方同居期间,虽然财产收入比男方少,但在抚育子女、照料老人等家务上付出了大量的劳动,有的还协助男方的工作,并付出较多的义务。女方的这些劳动，没有体现为双方同居期间所获得的财产或收入，因此，在分割当事人同居期间所得财产时，不能按照按份共有的原则分割，否则不利于保护妇女、儿童和老人的合法权益。

新修正的婚姻法在广泛听取各方面意见的基础上，经过认真研究，多次修改，规定无效或者被撤销的婚姻，当事人同居期间所得的财产，在婚姻被确认无效或婚姻关系被依法撤销时，由当事人协议处理。如果无效婚姻或可撤销婚姻当事人在同居期间对财产的归属有约定的，要依据当事人的约定，分割当事人同居期间的财产。如果当事人对同居期间财产的归属没有约定，又达不成协议时，人民法院对当事人同居期间所得的财产，根据照顾无过错方的原则予以分割。即对无效婚姻的无过错一方当事人可以多分财产。但是，对因重婚导致婚姻无效的财产的处理，不得侵害合法婚姻当事人的财产权益，即多分重婚导致的无效婚姻当事人同居期间所得财产给无过错方，不得侵害重婚一方第一个合法婚姻的配偶一方当事人的财产权益。例如，有配偶者甲又与乙登记结婚，人民法院根据照顾无过错方的原则，分割甲乙在无效婚姻期间所得财产时，不能将本应是甲第一个合法婚姻的夫妻财产分给乙。

第三章　家庭关系

本章共十八条，对夫妻的家庭地位、姓名权、人身自由权、计划生育的义务、财产关系、子女的教育、继承以及家庭成员间的扶养关系等作了规定。

第十三条　夫妻在家庭中地位平等。

【释义】　本条是对夫妻在家庭中的地位的规定。

一、夫妻与夫妻关系

夫妻的概念，有不同的表述。简单的表述有：夫妻，丈夫与妻子的合称，即男女通过合法的婚姻组成的配偶。较为复杂的表述有：合法有效婚姻所创设的男女法律关系，由此产生大量的法律后果，包括相互依附、共同寝食、相互扶养以及在性生活上相互忠诚的义务。按照通常的说法：夫妻是以共同生活为目的而结合的伴侣。

夫妻双方具有特定的身份，虽然这种身份关系在不同的历史时代有很多不同的内容，但是在根本上，夫妻是性伴侣。这种两性之间的关系与社会上其他的两性关系有着本质的区别。夫妻是两性的结合，互为性对象，同性结合不构成夫妻。夫妻两性的结合还必须是合法的。在有些国家和地区，这种合法结合的方式可能不止一种，有法律婚、仪式婚，仪式婚也是结婚的合法形式之一。不以合法的方式结合的男女两性，不能称为夫妻。

夫妻是性伴侣，需有共同生活的目的。所谓共同生活，包括许多方面。虽然共同生活不仅仅以性生活作为其全部内容，但性生活是夫妻共同生活的重要内容。没有性生活内容的男女两人生活在一起可能是其他关系，但不是夫妻之间的共同生活。性生活于夫妻之间不可或缺，但是性生活也并不是夫妻共同生活的全部，除了性生活，还有住宿、饮食等。

夫妻是生活的伴侣。生活是多方面的，是非常复杂的，生活着的夫妻有许许多多的权利与义务。婚姻和夫妻共同生活就其本质而言是为了种的繁衍。为了这一目的，夫妻要生育子女、抚养子女、教育子女。夫妻要相互扶养，还要赡养老人。夫妻要面对的，还有许许多多的事情。夫妻关系是人与人之间最为亲密也最为复杂的关系。

夫妻关系是最为亲密、复杂的人与人之间的关系，但依其性质，我们可以分为人身关系与财产关系两个方面。所谓人身关系，是指人格、身份、地位等没有直接财产内容的权利义务关系。如婚姻法第十四条、第十五条和第十六条规定的夫妻的姓名权，参加生产、工作、学习和社会活动的自由权以及计划生育的权利义务等。所谓财产关系，是指夫妻之间在财产的所有与使用、扶养上的权利义务关系。需要说明的是，夫妻财产关系是基于夫妻的人身关系而产生的。

夫妻关系在家庭关系中占有重要地位，夫妻关系是家庭关系的基础，没有夫妻关系就不会产生家庭关系。男女结婚，组成一个新的家庭，也产生了新的家庭关系。夫妻生儿育女，使家庭关系得到进一步的延续、发展。夫妻离婚，则夫妻关系消灭，以夫妻为中心的家庭关系随之消灭。夫妻关系在家庭关系中承上启下，夫妻赡养老人、为老人送终；生育、抚养、教育子女，使其成家立业，代代相传。可以说，夫妻关系在家庭中举足轻重，对整个家庭关系有着决定性的影响。从一定程度上说，家庭的稳定又是社会稳定的基础。家庭不和睦、子女教育出现问题，都会带来社会问题。因此，我们必须认识夫妻关系的性质与特点，了解夫妻关系的内容，处理好夫妻关系。这对于家庭的和睦美满和社会的稳定与健康的发展,具有重要意义。

二、近代以来我国有关夫妻关系的立法

鸦片战争以后,中国逐步沦为半封建、半殖民地。我国近代的亲属立法,从清末开始。1910 年(宣统二年)颁行的大清现行刑律,夫妻关系的规定沿用了明律、清律。肯定包办婚姻与纳妾,也有“七出”的规定。1911 年(宣统三年)起草了大清民律草案,未及实行,清朝已亡。1915 年,北洋政府制订民律亲属编(草案),也未实行。这两个草案,在夫妻关系的规定上有一些进步,但仍有浓厚的封建色彩。1931 年实施的国民政府民法亲属编,大量抄袭德国、日本民法典的规定,形式上看,体现男女平等、夫妻平等。但是,对纳妾事实上是承认的,仍然维护了旧的家庭制度,也维护了夫妻关系的不平等。而同时,中国共产党领导的苏区立法所确立的婚姻制度,与国民党政府相比,毛主席说“是两个绝对相反的世界”。1931 年的《中华苏维埃共和国宪法大纲》、《中华苏维埃共和国婚姻条例》及其有关该条例的决议,规定了解放妇女,婚姻自由,废除一切封建的包办、强迫与买卖婚姻,实行一夫一妻、禁止一夫多妻,男女平等、夫妻平等,为我国的婚姻制度翻开了崭新的一页。抗日战争、解决战争时期的陕甘宁边区、晋察冀边区有关婚姻的立法都坚持了这些原则。

中华人民共和国建立后不久,1950 年 5 月公布施行了《中华人民共和国婚姻法》,废除了旧的家庭制度,建立了全新的新民主主义家庭制度。婚姻法第一条规定,实行一夫一妻、男女平等的婚姻制度。第七条进一步规定:“夫妻为共同生活的伴侣,在家庭中的地位平等。”这些规定,建立在推翻了剥削与压迫、劳动人民当家作主的基础之上,反映了劳动人民的意志,也是新民主主义新型家庭关系的反映,因此得到了人民的一致拥护。婚姻法的实施在很大程度上消灭了包办婚姻、买卖婚姻,改造了旧的家庭关系,扫除了历史遗留下来的婚姻家庭领域里的封建习俗和封建思想。1980 年，婚姻法作了修改，在夫妻关系上，维持了 1950 年婚姻法的规定，有关部分只作了文字修改，说明 1950 年婚姻法对夫妻关系的规定符合我国的现实，也符合社会主义条件下家庭关系的发展规律。2001 年 4 月九届全国人大常委会第二十一次会议通过的新修订的婚姻法，本条未作修改。但根据社会主义发展过程中的新情况、新问题，有关条文作了相应修改，这是为了更加有利于贯彻男女平等、夫妻平等的原则。

三、婚姻法对夫妻平等原则的规定

夫妻双方在婚姻关系中的地位，总是与男女两性的社会地位相一致的。社会主义中国实行公有制，人民当家作主，人人平等、男女平等是社会主义的法制原则。新中国成立几十年来，我国妇女的地位有了很大的提高，男女平等、夫妻平等不再是我国法制建设要达到的目标，而是我国的现实。我国宪法第四十八条规定："中华人民共和国妇女在政治的、经济的、文化的、社会的和家庭的生活等各方面享有同男子平等的权利。国家保护妇女的权利和利益，实行男女同工同酬，培养和选拔妇女干部。"规定夫妻平等原则，是男女平等原则在家庭关系中的集中体现，是社会主义夫妻关系的根本要求和主要特征。规定夫妻平等原则，是对旧中国封建的婚姻制度的否定，是对旧中国夫权婚姻的否定，是对男尊女卑封建观念的否定。之所以单独规定这一条，还因为中国的婚姻家庭从封建的婚姻家庭中解脱出来不久，中国还有一些地区的经济不够发达，观念闭塞，男尊女卑的观念还很有市场，如伤害、丢弃女婴以及针对妇女的家庭暴力时有发生，包办婚姻、买卖婚姻的情况还存在，有些地方出现"包二奶"的情况。因此，还有许多夫妻不平等的现象存在。针对婚姻法规定的夫妻在家庭中地位平等的原则，可以从以下几个方面理解：

第一，规定夫妻在家庭中地位平等，是作为夫妻关系的指导原则，是确定夫妻各项权利义务的基础，不是夫妻在家庭中具体权利义务的规定。夫妻平等的原则意味着夫妻在共同生活中平等地行使法律规定的权利，平等地履行法律规定的义务，共同承担对家庭和社会的责任。在“家庭关系”一章规定夫妻平等，也是总则中规定的男女平等原则在家庭关系中的具体体现。夫妻平等原则作为家庭关系一章第一条，也是家庭关系一章其他各条的指导原则。家庭关系一章中其他各条都要贯彻这一原则。家庭关系一章只有十余条，而现实生活是复杂的，涉及家庭关系会出现各种各样的情况，在司法实践中，要解决矛盾、解决纠纷，要依法作出裁判。在法律没有具体规定的情况下，对夫妻关系的处理，就要依据夫妻在家庭中地位平等这一原则作出判断。因此，这一条规定也为司法实践中处理纠纷提供了依据。

第二，规定夫妻在家庭中地位平等，主要意义在于强调夫妻在人格上的平等以及权利义务的平等。强调夫妻的人格独立，夫妻都是家庭关系中的主体。夫妻双方应当互相尊重对方的人格独立，不得剥夺对方享有的权利。特别是要强调保护妇女，保护妻子在家庭中的人格独立，反对歧视妇女，反对以打骂等方式虐待妇女。重点是保护妇女在家庭中的各项权益。

第三，规定夫妻在家庭中地位平等，不是指夫妻在家庭中权利义务一一对等，也不是指夫妻要平均承担家庭劳务。平等不是平均，家庭劳务要合理分担。对于家庭事务，夫妻双方均有权发表意见，应当协商作出决定，一方不应独断专行。

第十四条 夫妻双方都有各用自己姓名的权利。

【释义】 本条是对夫妻姓名权的规定。

一、关于姓名权

（一）姓名权的概念

世界万物，总要取个名字，以便于识别，人也是如此。人的名字在法律上的正式称谓为“姓名”。姓名是公民的特定化标志,是公民的“符号”。有了姓名,就便于与其他人区别开来。人不同于其他物,一般其名字由“姓”加“名”组成。“姓”是其家族的标志,“名”是本人的标志。名字由“姓”加“名”组成是传统习惯,外国也是如此。不过中国人取名,“姓”放前面,有人认为是代表对祖先的尊重。西方人将名放在前面,将“姓”放在后面,有人讲这是价值观的不同,突出个人。但实际上,西方可能并不认为放在前面就是尊重,也可能放在后面表示尊重,这只是个思维习惯的问题。西方人说地址总是先说门牌号码,再说什么街、什么城市、什么国家,与我们正好相反。而且西方人的姓名从古代起就是把“姓”放在“名”的后面,古时候并没有突出自我的价值观念。古时候中国人取名字还有个不同于西方的地方,就是取个名,还要取个字,比如“曹操,字孟德”。古人还有取“号”的情况。同时,在大名之外,还有取小名的习惯。不过取“字”、取“号”的传统没有流传下来,但仍然有取小名的习惯。现在一般将小名作为“别名”或“曾用名”。现在也有的人取名字不要姓,只要名。时代不同了,如何取名字是公民的自由权利。

民法通则第九十九条第一款规定:“公民享有姓名权,有权决定、使用和依照规定改变自己的姓名,禁止他人干涉、盗用、假冒。”姓名权是自然人依法享有的决定、变更和使用自己姓名并排除他人干涉或者非法使用的权利,在法律上的意义是:(1)姓名是使自然人特定化的社会标志。自然人是独立的民事主体,可以以自己的名义享有权利并承担义务。自然人在具体的民事法律关系中通过姓名相互标识和区别,彼此作为独立的人格而对待。特定的姓名,代表特定的民事主体,是民事主体资格的外在化表现。(2)姓名是自然人维持其个性所必不可少的,是自然人作为人所必须具备的人格利益。姓名权究竟属于何种权利,其性质有不同的说法。一种说法是,姓名权具所有权性质,像所有权一样属于绝对权,可以对抗任何人。第二种说法是,姓名权是无形财产权,姓名权是无形的,特定情况下会带来经济价值。第三种说法是,姓名权是亲属权,姓名是一定家庭的标志,姓名权的发生源于亲属关系,属于亲属权的一部分。第四种说法是,姓名权是人格权,自然人以其姓名与他人交往,并以其姓名建立自己的社会形象与人格利益,与生命健康权、名誉权一样,所以是人格权。此四种说法,第四种关于人格权的说法较为正确。民法通则是在第五章第四节"人身权"中规定姓名权的。姓名权与生命健康权、肖像权、名誉权、荣誉权、婚姻自主权等放在一节之中,并没有再作分类。但理论上,人身权一般分为人格权与身份权两类,将民事主体自产生就依法享有的权利如生命健康权、肖像权、名誉权等归入人格权,将民事主体获得了特定身份才享有的权利如荣誉权等归入身份权。按照这个标准分类,姓名权应作为人格权,为自然人与生俱来的权利。

(二)姓名权的内容

姓名权的主体是自然人,依照民法通则的规定,姓名权的内容有以下几个方面:

1. 姓名决定权。姓名决定权指自然人决定其姓名的权利。为自己命名是自然人的基本权利之一。人可以自己决定随父姓或者随母姓,也可以采取其他姓或不要姓,也有权决定自己的名。但是,自然人应当依法行使姓名权。按照《户口登记条例》的规定,婴儿出生后一个月内,由户主、亲属、抚养人或者邻居向婴儿常住地户口登记机关申报出生登记,并将其姓名记入户籍登记簿,在户籍登记簿上登记的姓名为正式姓名。未成年人可以行使姓名决定权,但是行使此权以有意思自治能力为前提。如果具有意思自治能力,则可以行使姓名决定权,其监护人不能妨碍其行使权利。在不具有意思自治能力以前,其姓名权由监护人行使。

2. 姓名变更权。姓名变更权是指自然人变更其姓名的权利,这一权利来自于姓名决定权,也是姓名决定权的应有之意。当事人在变更姓名之前，以原姓名参与社会活动，行使权利、承担义务，变更姓名有可能影响到他人的权益。因此行使此权不得任意为之，必须依法变更。按照规定，变更姓名需要在户口登记机关办理姓名变更手续。我国《户口登记条例》规定，未满十八周岁的人需要变更姓名的，由其本人或父母、收养人向户口登记机关申请办理变更登记。十八周岁以上的人需要变更姓名的，由本人向户口登记机关申请办理变更登记。

3. 使用姓名权。使用姓名权是指自然人依法使用自己姓名的权利，包括自己使用、不使用和禁止他人使用的权利。

当事人行使姓名权必须依法进行。一是在从事重要法律行为时，有义务使用在户口登记机关登记的正式用名，参与法律关系不使用正式姓名有可能导致权利义务主体不明、法律关系混乱，影响社会经济秩序和他人利益，这是不允许的。二是不得基于不正当的目的取与他人相同的姓名。此种行为构成侵权。三是不得滥用姓名权。自然人有充分行使自己姓名权的自由，但其行使以不损害他人为原则。如果基于不正当的目的而改名换姓是法律所不允许的。

还有两点需要说明：(1)当事人从事文学、艺术等活动，可以取艺名、笔名，决定使用及变更都不需要向户口登记机关办理登记或者变更。但从事重要法律行为必须使用正式姓名。(2)自然人的姓名在特定情况下可能成为企业名称(商号)。作为企业名称(商号)的，具有知识产权的性质；作为一般姓名使用，则仍属于人格权。自然人的姓名在作为企业名称(商号)使用的情况下，则应当适用有关企业名称的法律法规。

二、夫妻的姓名权

在古代，无论是中国还是西方，都要求妇女从夫姓，这显然是夫权婚姻的产物。现代西方的立法，多数规定妻可从夫姓、夫可从妻姓，还可以有其他选择。如日本民法典第750条规定：“夫妻可以依结婚时所定，称妻或夫的姓氏。”虽然规定可以称妻或夫的姓氏，但一般还是要称“夫的姓氏”。德国民法典第 1355 条中规定：“婚姻双方应当确定一个家庭姓氏（婚姻姓氏）。婚姻双方使用由他们确定的共同姓氏。如果婚姻双方未确定婚姻姓氏，则他们在结婚之后仍然使用其直至结婚之时所使用的姓氏。”所谓“应当确定一个家庭姓氏”，实际是指确定妻从夫姓，如果决定妻不从夫姓，是不需要进行确定的。瑞士民法典第 160 条中规定：“（一）丈夫的姓氏为夫妻共同姓氏。（二）新娘有权当面向公民身份登记官员提出要求，将自己原有的姓氏置于夫姓之前。”

旧中国男娶女嫁，女到男家结婚后要从夫姓，将丈夫的姓放在自己的姓之前。有些妇女往往只有小名，有的甚至没有自己的名，如“张王氏”，谓姓王的嫁给姓张的做妻子。这是夫权婚姻中妻子对丈夫依附关系的表现。新中国成立后，1950 年的婚姻法第 11 条规定：“夫妻有各用自己姓名的权利。”废除在姓名问题上歧视妇女的旧法，代之以夫妻在姓名权上完全平等的规定。1980 年婚姻法重申了这一规定。这次修改婚姻法，对这一条未作修改，仍然保持了原来的规定。这个规定的实际含义是指，妇女结婚后有权使用自己的姓名，主要是保护已婚妇女的姓名权。同样，如果结婚后男方到女家落户的，男方也不必改变自己的姓名。当然也并不排除当事人结婚后自愿选择姓氏，因为自然人都有姓名权。由于 1950 年婚姻法的实施，妇女结婚后仍然使用自己姓名已成为习惯。新婚姻法继续这一规定，仍然体现了男女平等。这对于改变或抵制旧婚俗的影响，对夫妻在家庭中平等地位的巩固有一定的意义。

在中国大陆，女子结婚后使用自己的姓名已成为习惯。但在我国台湾、香港、澳门等地，仍然保留了结婚后随夫姓的习惯。我国台湾地区“民法”第 1000 条中规定：“妻以其本姓冠以夫姓，……当事人另有约定者，不在此限。”在西方和我国台湾、港澳地区，大多数妇女已习惯于婚后从夫姓，但也有一些不落俗套的妇女，坚持婚后仍使用自己婚前姓名的。

第十五条　夫妻双方都有参加生产、工作、学习和社会活动的自由，一方不得对他方加以限制或干涉。

【释义】 本条是对夫妻人身自由权的规定。

人身自由权是每个公民的权利，本条为什么还要对夫妻的人身自由权专作规定呢？这里规定的夫妻人身自由权并不是公民的人身自由权的全部内容，而是与夫妻关系有关的人身自由权的内容，涉及参加生产、工作、学习和社会活动。实际上讲的是妇女参加社会活动、进行社会交往、从事社会职业的权利。妇女的这一权利，不仅取决于其在家庭中的地位，主要的是取决于妇女在社会中的地位。这一规定的目的在于限制丈夫对妻子人身自由权利的干涉，这是在社会主义条件下妇女参与社会活动的权利的体现。

规定夫妻人身自由权有重要的意义。在旧中国，妇女在家庭中处于从属的地位，作为妻子的妇女更是受到各种约束，参加社会活动是根本不可能的事情。妇女是“从人者”，凡事“皆从男子”，婚前从父兄、婚后从夫、夫死从儿。“女不言外”，妇女被囚禁在家庭的牢笼之中，排除在社会活动之外，在家庭中伺候丈夫、老人与儿女，从事家务劳动，无权过问、更无权参与社会公共管理事务。由于妇女不能从事社会活动，在家庭中处于从属地位，在社会上更没有地位。妇女如果不参加社会工作，生活依赖丈夫，就不可能享有与男子真正的平等的地位。妇女只有积极参加学习、不断提高自身的政治觉悟和文化素质，参加公共劳动和社会活动，才能使妇女的家庭和社会地位真正得到提高，也才能真正与男子平等。因此，1950年的婚姻法第九条规定：“夫妻双方均有选择职业、参加工作和参加社会活动的自由。”这一规定对妇女积极参加生产和社会工作起到了积极的作用。1980年婚姻法对这一条进行了完善，增加了参加学习的自由。这次婚姻法修改，对这一条未作修改。

一、参加生产工作的权利

夫妻有参加生产、工作的自由。所谓生产、工作是指一切社会劳动。我国妇女参加生产与工作非常积极，国家与社会也提供了有力的保障。根据1994年《中国妇女的状况白皮书》，中国女性从业人员已占社会总从业人员的44%左右，高于世界34.5%的比例。因此，我们坚持妇女参加生产、工作的自由权的规定是非常正确的。妇女享有参加生产、工作的自由权而不受干涉，是妇女享有与丈夫平等地位的前提。

二、参加学习的权利

夫妻双方都有参加学习的自由。这里的学习，不仅包括正规的在校学习，也包括扫盲学习、职业培训以及其他各种形式的专业知识与专业技能的学习。保证妇女的学习的自由权，对于提高妇女的文化素质、提高妇女的就业率，对于妇女在家庭中与丈夫的平等地位都是必不可少的。保证妇女学习的自由权，对于子女的培养、对于全民族文化素质的提高，都是必要的。根据1990年的统计，在我国十五岁以上人口中，男女两性的文盲比例是3∶7，高中文化程度的比例大约是6∶4，而大学文化程度的比例约为7∶3，根据1994年《中国妇女的状况白皮书》，1992年统计，中学生、大学生及研究生的女性比例分别为43.1%、33.7%和24.8%。总的来看女性受教育的程度低于男性，仍需要作出较大的努力。因此，婚姻法规定夫妻学习的自由权是十分必要的。

三、参加社会活动的权利

夫妻双方都有参加社会活动的自由权。所谓社会活动，指参政、议政活动，科学、技术、文学、艺术和其他文化活动，各种群众组织、社会团体的活动，以及各种形式的公益活动等。参加社会活动的自由权来自于公民依法享有的民主权利，是社会主义条件下对夫妻关系的要求。婚姻法对夫妻参与社会活动自由权的规定主要是保护妇女的。旧中国妇女被排斥在社会生活之外,新中国成立以后,妇女全面参与国家和社会事务管理,在政治、经济、教育、科技文化、体育、卫生等社会生活的各个方面都取得了令人瞩目的发展。据统计,1993 年国家机关工作人员中妇女已占 32.44%;1992 年,各级各类学校中女教师占教师总数的 30~44.5%;1993 年,中国已有女科技人员 809.7 万人,占科技人员总数的 35%;1993 年,中国已有妇幼卫生专业技术人员 227 万人,占全部医务人员总数的 55%;1985 年到 1993 年,中国有国际级女运动健将 404 人,占中国国际级运动健将总数的 51%。这些数字说明,中国妇女基本上与男子平等地参与社会活动。

本条规定夫妻的自由权,并不意味着夫妻可以不顾家庭、为所欲为。夫妻行使人身自由的权利,必须符合法律与社会主义道德的要求,必须做到与其他权利义务的一致。公民婚前与婚后截然不同,对配偶、子女、家庭有不可推卸的责任。尤其是现在夫妻双方都要参加工作、劳动与社会活动,家务劳动也是很繁重的。夫妻有参加社会活动的自由,但是夫妻也有相互扶养的义务,有抚养、教育子女的义务,有赡养老人的义务。如果夫妻一方对家庭、子女漠不关心,不顾一切地参加各种社会活动,与本条的立法精神是不相符合的。夫妻之间应当互相尊重、互谅互让、互相协商,将参加工作、劳动和社会活动与尽到对家庭的责任协调一致。

第十六条　夫妻双方都有实行计划生育的义务。

【释义】 本条是对夫妻实行计划生育义务的规定。

人口生产是除物质生产以外的第二种生产。人口生产受到物质条件的制约,对社会的发展起着促进或者延缓的作用。历史上每一种生产方式,都有自己特定的人口规律。社会制度不同,人口生产的状况与特点也各不相同。在旧中国,物质生产匮乏、医疗条件落后,人口生产具有高出生率、高死亡率的特点。新中国成立后，在中国共产党的领导下，经济发展日新月异，人民生活水平有了很大提高，医疗条件也有长足的进步。死亡率大大降低，而出生率大大提高，我国人口迅速增长。实行计划生育，是社会主义制度下人口生产的客观要求。人是生产者，也是消费者，人口的生产与物质的生产有密切的关系。为了正确处理生产和需要、积累和消费，人口必须有计划、合理地增长。在社会主义条件下，我国的人口迅速增长，给我国经济发展和人民生活的改善造成了很大的困难。通过计划生育控制人口的增长，是我国的一项十分紧迫的任务。因此，实行计划生育，控制人口增长，提高人口素质，是我国的一项基本国策。我国宪法第二十五条规定："国家推行计划生育，使人口的增长同经济和社会发展计划相适应。"宪法第四十九条第二款规定："夫妻双方有实行计划生育的义务。"

从我国的人口现状与经济发展水平来看，在全国范围内普遍实行的是以降低人口增长速度为目标的计划生育政策。自从计划生育工作开展以来，已经取得了显著的成绩。1973 年，我国人口自然增长率是 20.99‰，1979 年下降到 11.7‰，1980 年下降到 10‰。按照国家计生委《中国计划生育工作纲要》（1995 年—2000 年），计划生育工作的主要目标是：到 2000 年，人口自然增长率降到 10‰以下，总人口控制在 13 亿以内。根据第五次人口普查的结果，截至 2000 年 11 月 1 日，我国总人口为12.9533亿，达到了既定的目标。到 2010 年，我国总人口要控制在 14 亿以内。我国人口形势仍然不容乐观，计划生育的工作任务还十分艰巨。一是人口基数大。尽管生育率已经降到较低的水平，但每年出生人口的绝对数字仍然很大，全国人口总规模还在继续增长。二是生育水平还不稳定。部分群众的生育观念还没有完全转变，一些实际困难还没有很好解决。如果工作做得不好，生育水平仍然可能回升。三是各地工作进展不平衡。部分地区的生育水平仍然偏高。大多数农村地区计划生育工作的整体水平还不高，特别是一些边远、贫困地区计划生育的服务还跟不上。四是在建立社会主义市场经济体制的新形势下，计划生育工作面临一些新情况和新问题，流动人口的计划生育工作的难度还很大，在人口素质、人口结构方面还存在不少问题。因此，实行计划生育，控制人口数量，提高人口素质仍然是一项艰巨而紧迫的战略任务。

实行计划生育，是民族文明和社会进步的重要标志之一。它不仅关系到夫妻、子女、家庭的切身利益，而且关系到国家的现代化建设、民族的兴旺，是一个带有全局性的问题。实行计划生育，也是我国家庭职能的一项重要内容，必须落实到每一对育龄夫妇。婚姻法本条的规定，就是要把计划生育的原则落实到每个家庭，每对夫妻之中。实行计划生育，是夫妻双方的一项法定义务，带有强制性。国家政策和法律规定了计划生育的义务，各省、自治区、直辖市也都制定和颁布了计划生育条例等地方性法规，违反计划生育的有关规定，要承担一定的法律责任。

计划生育是基本国策，每对夫妇都有遵守国家政策和法律法规的规定、实行计划生育的义务，违反规定要受到制裁，这是计划生育的一个方面；更为重要的方面，是要解决思想认识上的问题，要破除“重男轻女”“多子多福”“养儿防老”“传宗接代”等陈腐思想，充分认识计划生育的重要性和必要性，自觉地遵守国家政策和法律法规的规定，实行计划生育。必须严格禁止歧视、虐待不生子女或者只生女孩的妇女的现象和行为，克服夫妻思想上重男轻女及传宗接代的旧传统的影响。

夫妻双方都有实行计划生育的义务。因此，计划生育并不只是妇女一方的义务，而是夫妻双方的义务，不能片面地把计划生育的义务推给妇女一方。在现实生活中，实行计划生育，往往容易理解成是妇女一方的义务，与男方无关，对此不自觉履行，阻碍了计划生育工作的正常开展，是不符合法律要求的。因此，夫妻双方要共同协商，互相配合，采取切实有效的措施，自觉履行这一法定义务。实行计划生育，夫妻要采用避孕措施。目前我国有许多种避孕方法供夫妻选择，使用起来一般都安全可靠、简便易行，同时也没有什么副作用。如妇女使用的口服避孕药、外用避孕药膜、宫内避孕器、输卵管阻断术等等。男子也有各种避孕方法，如输精管结扎术。还有一种新的绝育方法，只要在男子阴囊输精管处打一针，即可阻断精液排出，从而达到终身避孕的效果。这种方法不用开刀动手术，痛苦小，也不影响性生活，必要时还可以恢复生育能力。

夫妻双方都有实行计划生育的义务。但是，男女在生理上有不同的特点和自然分工，胎儿是在母腹中依赖母亲的供养孕育至出生，此间胎儿不能离开母体而独立生存。胎儿与母亲的人身不可分离，母子双方的健康和生命互相关联，到目前为止，妇女在生育方面起着男性不可替代的作用。因此，母亲比父亲更加辛苦，其生育权与健康权理应受到特别保护。许多法律法规都有特别保护孕妇及生育妇女的规定，如婚姻法、妇女权益保障法、母婴保健法、刑法等。婚姻法第三十四条中规定，女方在怀孕期间、分娩后一年内或中止妊娠后六个月内，男方不得提出离婚。妇女权益保障法第四十二条中规定，女方按照计划生育的要求中止妊娠的，在手术后六个月内，男方不得提出离婚。第四十七条中还特别规定，妇女有按照国家有关规定生育子女的权利，也有不生育的自由。第五十条中还规定，如果以结婚、怀孕、产假、哺乳等为由辞退女职工，由其所在单位或者上级机关责令改正，并可根据具体情况，对直接责任人给予行政处分。刑法第四十九条中规定，审判时怀孕的妇女，不适用死刑。这些规定，都体现了法律对生育妇女的特别保护。

第十七条　夫妻在婚姻关系存续期间所得的下列财产，归夫妻共同所有：

（一）工资、奖金；

（二）生产、经营的收益；

（三）知识产权的收益；

（四）继承或赠与所得的财产，但本法第十八条第三项规定的除外；

（五）其他应当归共同所有的财产。

夫妻对共同所有的财产，有平等的处理权。

【释义】 本条是关于夫妻共同财产的规定。

本条和第十八、十九条共同构成对夫妻财产制的规定。所谓夫妻财产制，是规定夫妻财产关系的法律制度，包括夫妻婚前财产和婚后所得财产的归属、管理、使用、收益和处分，以及家庭生活费用的负担，夫妻债务的清偿，婚姻终止时夫妻财产的清算和分割等内容，其核心是夫妻婚前财产和婚后所得财产的所有权归属问题。法律设立夫妻财产制，调整夫妻财产关系，对保护夫妻的合法权利和财产利益，维护平等、和睦的家庭关系，并保障夫妻与第三人交易安全，具有重要意义。现代各国有关婚姻家庭的法律均对夫妻财产制度作出了规定。

关于夫妻财产制的类型，根据不同的标准，可以划分为不同的种类：按照夫妻财产制的产生依据，可分为法定财产制和约定财产制；按照夫妻财产制的内容，可分为共同财产制、分别财产制、剩余共同财产制、联合财产制等；按照夫妻财产制的适用情况，可分为普通财产制和非常财产制；按照财产制所涉及的夫妻财产的范围，可分为共同财产制和特有财产制。

各国夫妻财产制的采用，具有一定的地域性和时代性，同本国的文化传统、伦理观念、民主法治的发展程度紧密相连。在我国古代的宗法家族制度下，夫妻关系实行的是夫妻一体主义，“夫为妻纲”的三纲五常是婚姻家庭关系中的最高准则，妻对夫具有人身依附性，受夫权支配，一切财产归夫所有，妻没有独立的财产权，正如《礼记》中说，“子妇无私货，无私畜，无私器，不敢私假，不敢私与”。此时的夫妻财产制可称为“吸收财产制”。

近代以来，随着西学东渐和中国民主革命的发端，传统的宗法家族制度和封建思想受到质疑和批判，至以“科学与民主”为旗帜的“五四”新文化运动时期，先进知识分子大力宣传“男女平等”的思想，对封建夫权发出挑战，揭开了中国妇女解放运动的序幕。新中国成立后，废除了封建夫权，实行男女平等的法律制度，妻子在财产上享有与丈夫相同的权利，1950 年婚姻法第十条规定：“夫妻双方对于家庭财产有平等的所有权与处理权。”1980 年婚姻法对夫妻财产制作了明确规定，该法第十三条规定：“夫妻在婚姻关系存续期间所得的财产，归夫妻共同所有，双方另有约定的除外。”从该条可以看出，我国实行的是以法定财产制为主，约定财产制为辅的夫妻财产制度，其中以共同财产制为法定财产制。

婚姻法修正案延续了 1980 年婚姻法对夫妻财产制的规定，仍然以共同财产制作为法定财产制，同时对约定财产制作出规定。所不同的是，修正案对夫妻共同财产的范围作了列举式的规定，并增加规定了夫妻个人特有财产，同时，对夫妻约定财产制作了较为详细的规定。

这里有两个问题需要说明一下：第一，修正案为什么对夫妻财产制作这些修改呢？原因是 1980 年婚姻法产生于改革开放初期，那时的夫妻财产较少，财产关系比较简单，法律规定比较原则。随着社会主义市场经济的发展，社会的经济、文化和人的思想、生活方式都发生了深刻的变化，夫妻财产日益多样、丰厚，财产关系日趋复杂，各种新型的财产关系不断出现；人们的价值观念也发生了巨大的变化，个人自由和权利观念不断增强，对个人价值的追求日益迫切；人们的生活方式也在快节奏地变化，特别是在年轻一代的知识阶层、白领阶层中，有不少人在尝试婚前协议、AA 制的生活方式，采用夫妻约定财产制的人将越来越多。这一切使得原有的有关夫妻财产制的规定愈来愈显示出其局限性，不尽适应社会经济发展的需要，调整变化了的夫妻财产关系，充分保护公民个人财产所有权以及对财产权利的合理行使。1980 年婚姻法关于夫妻财产制的规定存在两个方面的缺陷:一是夫妻共同财产的范围过宽,根据该法第十三条的规定,除非夫妻双方对婚后财产作出约定,否则,夫妻在婚姻关系存续期间所得的财产基本上都归夫妻共同所有。这一规定重视夫妻作为生活共同体的一面,但对尊重个人意愿、保护个人财产权方面显得不足,应当适当缩小夫妻共同财产的范围,增加有关夫妻个人特有财产的规定。二是对夫妻约定财产制的规定过于简单,对约定的要件、范围、方式、效力等重要问题都没有规定,在实践中缺乏可操作性,应当对夫妻约定财产制作进一步的规定。

第二,修正案为什么延续了原有的夫妻财产制,仍以共同财产制作为法定财产制?所谓法定财产制,是指在夫妻婚前或婚后均未对夫妻财产作出约定,或所作约定不明确时,依照法律规定直接适用的夫妻财产制。本条和第十八条共同构成了我国夫妻法定财产制的内容。各国由于政治、经济、文化传统和民族习惯不同,法律规定的直接适用的法定财产制也不尽相同。目前,各国采用的法定财产制主要有共同财产制、分别财产制、剩余共同财产制和联合财产制等形式,其中以共同财产制和分别财产制为典型的正相对立的两种财产制。根据本条的规定,我国的法定财产制采用的是共同财产制。共同财产制,是指除夫妻个人特有财产外,夫妻在婚姻关系存续期间所得的财产,归夫妻共同所有的财产制。共同财产制又具体划分为一般共同制、婚后所得共同制和劳动所得共同制等形式。除我国外,法国、荷兰、巴西、俄罗斯等国也采用共同财产制作为法定财产制。分别财产制,是指夫妻婚前、婚后所得的财产均归夫妻个人所有,各自独立行使管理、使用、收益和处分权。分别财产制使夫妻婚前和婚后所得的财产不因结婚而发生财产上的共有,各自保持经济独立,体现了对个人价值的肯定和对个人财产权的保护。英美法系的多数国家及日本等国,以分别财产制作为法定财产制。这次婚姻法修正案之所以仍然采用共同财产制作为法定财产制,是从我国现实的国情考虑的。在当前社会中,男女两性的经济地位事实上仍存在着很大差距,职业女性的受教育程度、就业机会和经济收入大多不如男子,而一些妇女没有参加就业或因养育子女、照顾家庭放弃了原有的职业,这些女性基本没有独立的经济收入,在这种情况下实行分别财产制,往往会形成事实上的夫妻不平等。而共同财产制有利于保障夫妻中经济能力较弱一方的权益,有利于实现真正的夫妻地位平等。同时保持法律的连续性,可以避免对婚姻家庭生活和社会生活产生剧烈的震荡。这也符合我国文化传统和当前绝大多数人对夫妻财产制的要求。共同财产制虽然在尊重个人意愿、保护个人权利上显得不足,但更符合夫妻作为生活共同体的要求,有利于维系更加平等、和睦的家庭关系。

本条第一款规定,夫妻在婚姻关系存续期间所得的下列财产,如工资和奖金、从事生产、经营的收益等,归夫妻共同所有。这一规定表明,我国的夫妻共同财产制采用的是婚后所得共同制,即在婚姻关系存续期间,除个人特有财产和夫妻另有约定外,夫妻双方或一方所得的财产,均归夫妻共同所有,夫妻双方享有平等的财产所有权的制度。这里的共同所有指的是共同共有,不是按份共有。

根据本条的规定,我国的夫妻共同财产具有以下特征:

1. 夫妻共同财产的主体,是具有婚姻关系的夫妻,未形成婚姻关系的男女两性,如未婚同居、婚外同居等,以及无效或被撤销婚姻的男女双方,不能成为夫妻共同财产的主体。

2. 夫妻共同财产,是在婚姻关系存续期间取得的财产,婚前财产不属于夫妻共同财产。婚姻关系存续期间,自合法婚姻缔结之日起,至夫妻一方死亡或离婚生效之日止。

3. 夫妻共同财产的来源,为夫妻双方或一方所得的财产,既包括夫妻通过劳动所得的财产,也包括其他非劳动所得的合法财产,当然,法律直接规定为个人特有财产的和夫妻约定为个人财产的除外。这里讲的“所得”,是指对财产权利的取得,而不要求对财产实际占有,如果一方在婚前获得某项财产如稿费,但并未实际取得,而是在婚后出版社才支付稿费,此时这笔稿费不属于夫妻共同财产。同理,如果在婚后出版社答应支付一笔稿费,但直到婚姻关系终止前也没有得到这笔稿费,那么这笔稿费也属于夫妻共同财产。

4. 夫妻对共同财产享有平等的所有权,双方享有同等的权利,承担同等的义务。夫妻对共同所有的财产,有平等的处理权。特别是夫妻一方对共同财产的处分,除另有约定外,应当取得对方的同意。

5. 不能证明属于夫妻一方的财产,推定为夫妻共同财产。最高人民法院 1993 年 11 月的《关于人民法院审理离婚案件处理财产分割问题的若干具体意见》(以下简称《意见》)中规定:“对个人财产还是夫妻共同财产难以确定的,主张权利的一方有责任举证。当事人举不出有力证据,人民法院又无法查实的,按夫妻共同财产处理。”此规定即是这一原则在法律上的体现。国外也有类似的规定,瑞士民法典第 226 条规定:“凡无证据证明属于夫妻一方个人财产的财物均视为夫妻共同财产。”

6. 分割夫妻共同财产,原则上应当均等分割。根据生产、生活的实际需要、财产的来源等情况,由双方协议处理,协议不成时,由人民法院根据财产的具体情况,照顾子女和女方权益的原则判决。

7. 夫妻一方死亡,如果分割遗产,应当先将夫妻共同财产的一半分归另一方所有,其余的财产为死者遗产,按照继承法处理。

关于夫妻共同财产的范围,本条第一款作了列举式的规定:

(一)工资、奖金。这里的“工资、奖金”应作广义的理解,泛指工资性收入,目前我国职工的基本工资只是个人收入的一部分,在基本工资之外，还有各种形式的补贴、奖金、福利等，甚至还存在着一定范围的实物分配，这些共同构成了职工的个人收入，当然，在一些现代企业或外资企业中，也存在着一定比例的高工资、高收入，甚至年薪、股份期权等，这些收入都属于工资性收入，属于夫妻共同财产的范围。

（二）生产、经营的收益。如果说工资、奖金属于夫妻的劳动所得，那么，从事生产、经营的收益，既包括劳动所得，也包括大量的资本性收入。这里的"生产、经营收益"，既包括农民的生产劳动收入，也包括工业、服务业、信息业等行业的生产、经营收益。随着市场经济的发展，有越来越多的人买卖股票和债券，投资于公司、企业经营，还有不少人依靠自己的资本或筹资兴办公司、企业，这些人成为大量资本的拥有者，经营收益丰厚。这些经营收益也属于夫妻共同财产。在婚姻法修改过程中，有人提出，为保护个人财产权，防止有些人不劳而获、借婚姻取得大量财产，应当将个人的经营收益作为个人特有财产而不是夫妻共同财产。这种意见虽有一定的道理，但是应当看到，经营收益与工资、奖金一样，都是个人的收入，二者没有本质的区别，在共同财产制下都应当属于夫妻的共同财产，否则与法理相悖。如果从事经营的一方怕对方利用婚姻关系侵吞自己的财产，可以通过约定财产制来保护自己的权益。也有人提出，如果把生产经营收益作为夫妻共同财产，在离婚时一方经营的企业财产，另一方如何分割，将是一个很难解决的问题。的确，对一方的经营收益，如股票、股权甚至整个公司企业这类夫妻共同财产的分割，由于涉及婚姻法和公司法、证券法的关系，分割时存在一定的法律障碍，处理起来比较困难。这需要在社会实践和司法实践中积累经验。有的法院在审理此类案件时的解决办法是：在财产分割问题上，对涉及股票、股份、股权或公司、企业等财产的，在不违反公司法的前提下，采取折价补偿或转移一半股份或股权等方式处理。具体做法是：（1）对股票主要采取直接分割的方式,以避免对股票进行估价或折价带来的麻烦,但在双方协商同意的情况下,采取由持票一方折价给另一方补偿的方式予以分割;(2)对股份或股权,如经公司其他股东同意、且受让一方亦具备公司章程规定的股东条件,采取直接转让一半股份和股权的方式分割,否则,则将股权处理给原持有人所有,由取得股权的一方按股权价值补偿给另一方,该价值尽量由离婚双方协商确定,协商不成的,一般以股权所在公司当年每股的净资产额确定其价值。

(三)知识产权的收益。知识产权是一种智力成果权,它既是一种财产权,也是一种人身权,具有很强的人身性,与人身不可分离,婚后一方取得的知识产权权利本身归一方专有,权利也仅归权利人行使,作者的配偶无权在其著作中署名,也不能决定作品是否发表。但是,由知识产权取得的经济利益,则属于夫妻共同财产,如因发表作品取得的稿费,因转让专利获得的转让费等,归夫妻共同所有。

(四)因继承或赠与所得的财产,但遗嘱或赠与合同中确定只归夫或妻一方的财产除外。关于因继承所得的财产,有人提出,根据我国继承法的规定,女婿、儿媳不在法定继承人的范围之内,如果将一方继承的财产作为夫妻共同财产,等于扩大了法定继承人的范围,与继承法的规定相违背;而遗嘱继承则体现了强烈的个人意志性,遗嘱人将其财产指定由特定的人继承,体现了对其所拥有财产的处分权,如果将夫妻一方因遗嘱继承而得到的财产视为夫妻共同财产,等于变更了遗嘱,这违背了遗嘱人的意愿,限制了其对财产的自由处分权,因此,婚姻存续期间,一方继承的财产不宜作为夫妻共同财产。这种观点的意义在于,努力从维护个人财产权的角度出发,积极保护个人权利,应该说,这种观点正是实行分别财产制的理论基础,而正与实行共同财产制的基本观念相对立,如前所述,共同财产制关注更多的是家庭,是夫妻共同组成的生活共同体,而不是个人,在这一制度下,夫妻一方经法定继承或遗嘱继承的财产,同个人的工资收入、知识产权收益一样,都是满足婚姻共同体存在的必要财产,应当归夫妻共同所有。而且,法定继承的财产归夫妻共有,并没有扩大法定继承人的范围,因为女婿、儿媳只是分享了其配偶应得的遗产份额,并不影响其他法定继承人的利益。在遗嘱继承中,可以将遗嘱人交由夫妻一方继承的遗产视为留给整个家庭的财产,如果遗嘱人的本意是只给夫妻一方,不允许其配偶分享,则可以在遗嘱中指明,确定该财产只归一方所有,根据本条第四项的但书和第十八条第三项的规定,该遗产就不是夫妻共同财产而是一方的特有财产了,这样,也就体现遗嘱人的意愿了。关于赠与的财产,与此同理,可以将赠与夫妻一方的财产视为赠与整个家庭的财产,归夫妻共同所有,这也是与大多数人的思想观念相符合的,如果说丈夫的朋友赠送的洗衣机只归丈夫所有,妻子用来洗衣服要经过丈夫许可,那才有点奇怪呢。如果赠与人只想赠与夫妻的一方,可以在赠与合同中指明该财产只归其中的一方所有,这样,也就尊重了赠与人的意愿。有人提出,目前一些国家采用的婚后所得共同制一般是指夫妻通过劳动获得的财产,非劳动所得的财产,如继承、受赠的财产等应当规定为夫妻的个人财产。这次修改婚姻法没有采纳这种意见。

(五)其他应当归共同所有的财产。这项规定属于概括性规定。随着社会经济的发展和人们生活水平的提高,夫妻共同财产的范围在不断地扩大,共同财产的种类在不断地增加,目前,夫妻共同财产已由原来简单的生活用品发展到汽车、房产、股票、债券乃至整个公司、企业等,今后还将出现一些新的财产类型。上述四项只是列举了现已较为明确的共同财产的范围,但难以列举齐全,因此,作了这项概括性规定。

本条第二款规定:“夫妻对共同所有的财产,有平等的处理权。”这是关于夫妻如何对共同财产行使所有权的规定。如前所述,夫妻共同财产的性质是共同共有,不是按份共有,因此夫妻对全部共同财产，应当不分份额地享有同等的权利，承担同等的义务。不能根据夫妻双方经济收入的多少来确定其享有共同财产所有权的多少。夫妻双方对共同财产享有平等的占有、使用、收益和处分的权利。夫妻一方对共同财产的使用、处分，除另有约定外，应当在取得对方的同意之后进行。尤其是重大财产问题，未经对方同意，任何一方不得擅自处分。夫妻一方在处分共同财产时，另一方明知其行为而不作否认表示的，视为同意，事后不得以自己未参加处分为由否认处分的法律效力。夫妻一方未经对方同意擅自处分共同财产的，对方有权请求宣告该处分行为无效，但不得对抗善意第三人，即如果第三人不知道也无从知道夫妻一方的行为属于擅自处分行为的，该处分行为有效，以保护第三人的利益，维护交易安全，因为在多数情况下，由于夫妻在日常生活中互有代理权，第三人很难知道夫妻一方的行为是否经过对方同意，也不必知道。此时，一方因擅自处分行为给配偶造成损失的，应当予以赔偿。因一方擅自处分行为所负的债务，应由该方以个人财产清偿。最高人民法院 1993 年 11 月的《意见》第十七条规定，一方未经对方同意，擅自资助与其没有扶养义务的亲朋所负的债务；或一方未经对方同意，独自筹资从事经营活动，其收入确未用于共同生活所负的债务，不能认定为夫妻共同债务，应由一方以个人财产清偿。

第十八条　有下列情形之一的，为夫妻一方的财产：

（一）一方的婚前财产；

（二）一方因身体受到伤害获得的医疗费、残疾人生活补助费等费用；

（三）遗嘱或赠与合同中确定只归夫或妻一方的财产；

（四）一方专用的生活用品；

（五）其他应当归一方的财产。

【释义】　本条是关于夫妻特有财产的规定。

本条关于夫妻特有财产的规定,是这次修改婚姻法新增加的一个内容,也是完善我国夫妻财产制的一个重要方面。

所谓夫妻特有财产,也称夫妻保留财产,是指夫妻在实行共同财产制的同时,依照法律规定或夫妻约定,夫妻各自保留的一定范围的个人所有财产。根据产生的原因不同,特有财产可分为法定的特有财产和约定的特有财产。法定的特有财产,是指依照法律规定所确认的夫妻双方各自保留的个人财产,本条即属于法定特有财产的规定。所谓特有财产制,就是夫妻在实行共同财产制时,基于法律规定或双方约定,夫妻各自保留一定范围的个人所有财产,并对该财产进行管理、使用、收益和处分,以及有关的财产责任、特有财产的效力等内容组成的法律制度。

特有财产制是对夫妻共同财产制的限制和补充。特有财产制不同于分别财产制。在分别财产制下,无论是法定的分别财产制,还是约定的分别财产制,其全部夫妻财产,包括婚前财产和婚后全部财产,都归属于夫妻各自所有;特有财产制是在依法或依约定实行夫妻共同财产制的前提下,夫妻各自保留一定范围的个人财产。特有财产制是与共同财产制同时并存的,没有共同财产制,也就无所谓特有财产制,特有财产制是共同财产制的限制和补充。

特有财产是夫妻在婚姻关系存续期间分别保留的个人财产,独立于夫妻共同财产之外,夫妻双方对各自的特有财产,享有独立的管理、使用、收益和处分权利,他人不得干涉。夫妻可以约定将各自的特有财产交由一方管理;夫妻一方也可以将自己的特有财产委托对方代为管理,对方代为管理的,适用民法通则关于代理的一般规定。对家庭生活费用的负担,在夫妻共同财产不足以负担家庭生活费用时,夫妻应当以各自的特有财产分担。

目前,世界上许多设有共同财产制的国家和地区,对夫妻共同财产的范围加以限制,明确规定了夫妻特有财产的范围。下面,将一些国家和地区有关夫妻特有财产的规定作一简单介绍。法国民法典规定：下列财产，即使为婚姻期间取得的，按其性质为各自的财产：属夫或妻一方使用的衣服及日用布制品、赔偿身体或精神上损害的诉权、不能让与的债权及补助金，以及更广而言之，一切具有个人特点的财产及专属个人的权利。夫或妻一方为其职业所必需的劳动工具，按其性质亦为各自所有的财产。在婚姻期间，由继承、赠与或遗赠而取得的财产，为各自所有的财产。瑞士民法典第198条规定：根据法律规定，以下财产为夫妻一方个人所有的财产：(1)夫妻一方专有的个人使用物品；(2)结婚时属于夫妻一方所有的财产，或在婚姻关系存续期间通过继承或其他方式无偿取得的财产；(3)因精神赔偿所获得的补偿金；(4)夫妻一方个人财产的替代物。罗马尼亚家庭法典规定：以下财产不属于夫妻共同财产，而是夫妻一方的单独财产：(1)结婚前所获得的财产；(2)以继承、遗赠或赠与方式转移或获得的财产，除非赠与人规定其为共同财产；(3)夫妻任何一方供个人使用的财产或从事其职业所需要的财产；(4)作为奖品或奖金获得的财产，科学或文学手段，艺术手稿及草图，革新或发明的设计稿以及其他类似的物品；(5)保险金或作为造成个人伤害的赔偿而判给的损害赔偿金；(6)能表示或代替单独财产的价值或体现该价值的财产。我国台湾地区“民法”第1013条规定，下列财产为特有财产：(1)专供夫或妻个人使用的物；(2)夫或妻职业上必需的物；(3)夫或妻所受之赠物，经赠与人声明为其特有财产的。从以上规定可以看出，各地对夫妻特有财产范围的规定，有一定的相似之处，但也存在一定的差异。此外，有一些国家的法律，如法国、德国、瑞士等，对夫妻特有财产的管理、使用、收益和处分权利及其财产责任、特有财产的效力、特有财产的举证责任、特有财产与共同财产之间的结算等作了进一步的规定，从而形成特有财产制度。

规定夫妻特有财产的意义在于，它弥补了共同财产制对个人权利和意愿关注不够的缺陷，防止共同财产范围的无限延伸，有利于保护个人财产权利。关于我国婚姻法增加规定夫妻特有财产的原因,在对第十七条的解释中已有论述。关于我国夫妻特有财产的范围,本条作了列举式的规定,下面逐一进行介绍:

(一)一方的婚前财产。婚前财产是指夫妻在结婚之前各自所有的财产,包括婚前个人劳动所得财产、继承或受赠的财产以及其他合法财产。婚前财产归各自所有,不属于夫妻共同财产。最高人民法院1993年11月的《意见》第六条规定:"一方婚前个人所有的财产,婚后由双方共同使用、经营、管理的,房屋和其他价值较大的生产资料经过8年,贵重的生活资料经过4年,可视为夫妻共同财产。"这是关于个人婚前财产转化为夫妻共同财产的规定,是适宜的,曾在司法实践中发挥过重要的作用。这次修改,考虑到现在夫妻婚前财产越来越多,笼统地将上述规定作为法律规定会产生一些问题,并且从物权制度上也需进一步研究。因此,先是明确一方的婚前财产属于夫妻个人财产,不能转化为夫妻共同财产,即使在离婚时,也不能作为共同财产进行分割,除非当事人另有约定。但为了保护弱者特别是妇女的权益,婚姻法增加了第四十条规定:"夫妻书面约定婚姻关系存续期间所得的财产归各自所有,一方因抚育子女、照料老人、协助另一方工作等付出较多义务的,离婚时有权向另一方请求补偿,另一方应当予以补偿。"同时第四十二条规定:"离婚时,如一方生活困难,另一方应从其住房等个人财产中给予适当帮助。具体办法由双方协议;协议不成时,由人民法院判决。"此外,第四十六条还规定了离婚过错赔偿制度,该条规定:"有下列情形之一,导致离婚的,无过错方有权请求损害赔偿:(一)重婚的;(二)有配偶者与他人同居的;(三)实施家庭暴力的;(四)虐待、遗弃家庭成员的。"

(二)一方因身体受到伤害获得的医疗费、残疾人生活补助费等费用。这里的"医疗费、残疾人生活补助费等费用"是指与生命健康直接相关的财产。由于这些财产与生命健康关系密切,对于保护个人权利具有重要意义,因此应当专属于个人所有,而不能成为共同财产。不少规定夫妻特有财产的国家将具有人身性质的财产规定为夫妻个人财产,如美国统一婚姻财产法第四节中规定,"对其人身伤害的赔偿"为夫妻个人财产;瑞士民法典第198条规定,"因精神赔偿所获得的补偿金"为夫妻一方个人所有的财产;罗马尼亚家庭法典规定,"保险金或作为造成个人伤害的赔偿而判给的损害赔偿金"为夫妻一方的单独财产。本条将因身体受到伤害获得的医疗费、残疾人生活补助费作为夫妻一方个人财产,有利于维护受害人的合法权益,为受害人能够得到有效治疗、残疾人能够正常生活提供了法律保障。

(三)遗嘱或赠与合同中确定只归夫或妻一方的财产。根据第十七条第(四)项的规定,因继承或赠与所得的财产,属于夫妻共同财产。但为了尊重遗嘱人或赠与人的个人意愿,保护公民对其财产的自由处分权,如果遗嘱人或赠与人在遗嘱或赠与合同中明确指出,该财产只遗赠或赠给夫妻一方,另一方无权享用,那么,该财产就属于夫妻特有财产,归一方个人所有。这样规定的另一个意义在于,防止夫妻另一方滥用遗产或受赠的财产,如妻子的朋友赠送一笔钱资助孩子上学,而丈夫有酗酒恶习,如果这笔钱属于夫妻共同财产,丈夫就有可能利用它买酒,在这种情况下,赠与人可以在赠与时确定这笔现金只赠送给妻子,属于妻子个人所有,丈夫就无权将其用来酗酒了。对此,我国台湾地区也有类似规定,台湾地区"民法"第1013条规定,夫或妻所受之赠物,经赠与人声明为其特有财产的,属于夫妻个人财产。

(四)一方专用的生活用品。一方专用的生活用品具有专属于个人使用的特点,如个人的衣服、鞋帽等,应当属于夫妻特有财产。我国司法实践中,在处理离婚财产分割时,一般也将个人专用的生活物品,作为个人财产处理。在婚姻法修改过程中,有一种意见认为,用夫妻共同财产购买的且价值较大的生活用品,如贵重的首饰等，即使为一方专用，也应当属于夫妻共同财产。这一意见未被采纳。价值较大的生活用品，因其具有个人专用性，仍应当归个人所有，这也符合夫妻双方购买该物时的意愿。况且，夫妻对共同财产有平等的处理权，多数情况下，夫妻双方都有价值较大的生活用品。当然，不同经济状况的家庭，“价值较大”的含义不同。

（五）其他应当归一方的财产。这项规定属于概括性规定。夫妻特有财产除前四项的规定外，还包括其他一些财产和财产权利。随着社会经济的发展、新的财产类型的出现以及个人独立意识的增强，夫妻个人特有财产的范围也将有所增加。

第十九条　夫妻可以约定婚姻关系存续期间所得的财产以及婚前财产归各自所有、共同所有或部分各自所有、部分共同所有。约定应当采用书面形式。没有约定或约定不明确的，适用本法第十七条、第十八条的规定。

夫妻对婚姻关系存续期间所得的财产以及婚前财产的约定，对双方具有约束力。

夫妻对婚姻关系存续期间所得的财产约定归各自所有的，夫或妻一方对外所负的债务，第三人知道该约定的，以夫或妻一方所有的财产清偿。

【释义】　本条是关于夫妻约定财产制的规定。

本条关于夫妻约定财产制的规定，是在 1980 年婚姻法第十三条规定的基础上加以补充和完善形成的，是这次修改婚姻法完善我国夫妻财产制的一个重要方面。

所谓约定财产制，是指法律允许夫妻用协议的方式，对夫妻在婚前和婚姻关系存续期间所得财产的所有权的归属、管理、使用、收益、处分以及对第三人债务的清偿、婚姻解除时财产的分割等事项作出约定，从而排除或部分排除夫妻法定财产制适用的制度。约定财产制是相对于法定财产制而言的，它是夫妻以契约的方式依法选择适用的财产制，而法定财产制是依照法律直接规定而适用的财产制，约定财产制具有优先于法定财产制适用的效力，只有在当事人未就夫妻财产作出约定，或所作约定不明确，或所作约定无效时，才适用夫妻法定财产制。本条第一款即规定："没有约定或约定不明确的，适用本法第十七条、第十八条的规定。"

约定财产制与法定财产制相比较而言，其灵活性更强，更能适应复杂多样的夫妻财产关系，更能适应现代社会丰富多样的生活方式，也更能体现当事人的真实意愿和个性化的需要。目前世界各地都愈来愈重视约定财产制的意义和作用。美国、英国、法国、德国、瑞士和俄罗斯等许多国家和地区都在法律中明文规定，夫妻双方可以在婚前或婚姻关系存续期间，约定采用某种财产制来支配他们之间的财产关系。如瑞士民法典第 182 条规定："夫妻双方可以在结婚前或者结婚后，缔结夫妻财产契约。"俄罗斯联邦家庭法典第 42 条规定："夫妻双方有权以婚姻合同变更法律规定的财产共有制，有权对夫妻的全部财产、财产的个别类型或者夫妻各方的财产确定共有、按份所有或者分别所有制度。无论是对夫妻现有的财产，还是对夫妻将来的财产均可订立婚姻合同。"我国台湾地区"民法典"第 1004 条规定："夫妻得于结婚前或结婚后，以契约就本法所定之约定财产制中，选择其一，为其夫妻财产制。"

允许夫妻采用约定财产制的国家，关于约定财产制内容的规定不尽相同，从立法限制的程度看，大体可分为两种情况：一种是立法限制较少的，即对婚姻当事人约定财产关系的范围和内容没有严格限制，法律既没有规定几种财产制形式供当事人选择，在程序上也没有特别要求，如英国、日本等国。另一种是立法限制较多的，即在约定财产制的范围上，明确规定约定时可供选择的财产制，在约定的内容上规定不得相抵触的事由，在程序上要求夫妻订立要式契约，如法国、德国、瑞士等国。

我国 1950 年婚姻法对夫妻约定财产制没有作出规定，从新中国成立到“文革”结束前这一段时期，我国的经济发展水平和人民生活水平相对较低，公民的个人财产和家庭财产都很少，因此在实际生活中对夫妻财产进行约定的也很少。

1980 年婚姻法适应新时期社会经济发展和家庭财产关系变化的需要，在规定以共同财产制为法定财产制的同时，允许夫妻双方对财产关系作出约定，以排除共同财产制的适用，该法第十三条规定：“夫妻在婚姻关系存续期间所得的财产，归夫妻共同所有，双方另有约定的除外。”最高人民法院 1993 年 11 月的《意见》也规定：“夫妻双方对财产归谁所有以书面形式约定的，或以口头形式约定，双方无争议的，离婚时应按约定处理。但规避法律的约定无效。”允许夫妻按照双方的意愿，约定处理夫妻财产关系，适应新形势下夫妻因各种原因，如个人承包经营、再婚夫妻的财产、涉外婚姻及涉及港、澳、台同胞的婚姻等，以多种形式处理双方财产问题的需要，体现了夫妻享有平等的财产权利，有利于减少家庭纠纷，保护当事人的合法权益。但 1980 年婚姻法仅规定夫妻婚姻关系存续期间的财产关系进行约定，对婚前财产和约定财产制的内容，如约定的范围、约定的条件和方式、约定的效力等未作规定。

随着社会主义市场经济的发展，夫妻财产日益增多，财产关系日趋复杂多样；人们的价值观念和婚姻家庭观念也发生了很大变化，个人权利意识和独立意识不断增强；人们的生活方式也在不断地变化，一些人特别是年轻人，为了保持生活的独立性或出于其他原因，开始尝试婚前协议、AA 制的生活方式，而从事企业经营或其他高收入职业的人群，为了保护个人财产权利，避免因配偶的债务殃及自己的财产，或者为了减少夫妻财产因个人债务而承担的风险，或者为了防止对方借婚姻谋取财产，对夫妻约定财产制的需求更为强烈。此外，随着离婚时财产分割的纠纷增多，采用约定财产制的人们也会有所增加。随着采用约定财产制来调整夫妻财产关系的人的不断增多，原有的有关夫妻约定财产制的规定就显得过于简单，既缺乏指导性，也缺乏可操作性，需要增加规定，以完善我国的夫妻约定财产制度。

本条正是在这样的基础上，对约定财产制作了补充和完善。根据本条的规定，我国夫妻约定财产制的内容主要包括以下几个方面：

（一）约定的条件和方式

夫妻对财产关系进行约定是一种双方民事法律行为，它不仅要符合民事法律行为的一般要件，还要符合婚姻法的有关规定，因为该约定是基于配偶这一特殊身份发生的。夫妻对财产关系的约定需要符合下列要件：(1)缔约双方必须具有合法的夫妻身份，未婚同居、婚外同居者对财产关系的约定，不属于夫妻财产约定。(2)缔约双方必须具有完全民事行为能力。(3)约定必须双方自愿。夫妻对财产的约定必须出于真实的意思表示，以欺诈、胁迫手段或乘人之危使对方在违背真实意思的情况下作出的约定，对方有权请求变更或者撤销。(4)约定的内容必须合法，不得利用约定规避法律以损害国家、集体或他人的利益，不得违背社会公共利益。约定的内容不得超出夫妻财产的范围，如不得将其他家庭成员的财产列入约定财产的范围，不得利用约定逃避对第三人的债务以及其他法定义务。

关于约定的方式，本条第一款规定"约定应当采用书面形式"。这样规定的目的，在于更好地维护夫妻双方的合法权益以及第三人的利益，维护交易安全，避免发生纠纷。当然如果夫妻以口头形式作出约定，事后对约定没有争议的，该约定也有效。夫妻以书面形式对其财产作出约定后，可以进行公证。在婚姻法修改过程中，有一种意见认为，夫妻对财产关系的约定，应当进行公证。这种观点不符合公证自愿的原则，而且公证只具有证明的效力，不是约定生效的要件。还有一种意见认为，夫妻对财产的约定应当向婚姻登记机关进行登记，未经登记不生效力或不得对抗善意第三人。由于夫妻财产登记的内容、效力等问题比较复杂，而我国对家庭财产的监管还不够规范和完善，因此这次修改婚姻法没有采纳这种意见。

（二）约定的时间和范围

关于约定的时间，本条未作规定。根据我国的实际情况，对约定的时间不必作更多的限制。约定可以在婚前进行也可以在婚后进行。

关于约定的范围，本条第一款规定“夫妻可以约定婚姻关系存续期间所得的财产以及婚前财产归各自所有、共同所有或部分各自所有、部分共同所有”。这一规定的范围是比较宽的，根据这一规定，夫妻既可以对婚姻关系存续期间所得的财产进行约定，也可以对婚前财产进行约定；既可以对全部夫妻财产进行约定，也可以对部分夫妻财产进行约定；既可以概括地约定采用某种夫妻财产制，也可以具体地对某一项夫妻财产进行约定；既可以约定财产所有权的归属或者使用权、管理权、收益权、处分权的行使，也可以约定家庭生活费用的负担、债务清偿责任、婚姻关系终止时财产的分割等事项。

关于当事人可以约定采用哪种夫妻财产制，本条未作规定，即没有对当事人可以选择的财产制进行限制。一般来说，当事人可以约定采用的夫妻财产制主要有以下几种：(1)一般共同制：夫妻的婚前财产和婚姻关系存续期间所得的财产均归夫妻共同所有；(2)劳动所得共同制：夫妻婚后的劳动所得归夫妻共有，非劳动所得的财产，如继承、受赠的财产、人身损害赔偿金等，归各自所有；(3)管理共同制：夫妻的婚前财产和婚姻关系存续期间所得的财产归各自所有，同时根据双方的约定，除特有财产外，双方的财产由夫或妻统一管理；(4)分别财产制：夫妻的婚前财产和婚姻关系存续期间所得的财产均归各自所有，各自独立管理，委托对方管理的，适用有关委托代理的规定。如果当事人不愿意概括地约定采用某种夫妻财产制,也可以对部分夫妻财产,甚至某一项财产进行约定,如当事人可以约定一方从事生产经营的收益归其本人所有,也可以约定一方因身体受到伤害获得的赔偿金归夫妻共同所有。

(三)约定的效力

约定的效力,分为对内效力(指夫妻之间)和对外效力(指对第三人)。

1. 关于对内效力,本条第二款规定:"夫妻对婚姻关系存续期间所得的财产以及婚前财产的约定,对双方具有约束力。"夫妻对财产关系的约定,对双方具有约束力,双方按照约定享有财产所有权以及管理权等其他权利,并承担相应的义务。

2. 关于对外效力,主要考虑的是在夫妻对财产进行约定,保护夫妻财产权的同时,要保障第三人的利益,维护交易安全。夫妻之间对财产关系的约定,如何对第三人产生效力?关于这一问题,一些国家和地区规定夫妻财产约定须进行登记或为第三人所明知,才能对第三人发生法律约束力。如德国民法典第1412条规定:"如果婚姻双方排除或变更法定婚姻财产制,则对于婚姻一方与第三人之间所采取的法律行为,只在婚姻合同在采取上述法律行为之时已在主管的初级法院的婚姻财产制登记簿上登记或已为该第三人所知的情形,婚姻双方方得以此针对第三人对该法律行为提出异议。"日本民法典第756条规定:"夫妻订有同法定财产制相异的契约时,除非于婚姻申报前进行登记,不得以之对抗夫妻的承受人及第三人。"我国台湾地区"民法"第1008条规定:"夫妻财产制契约之订立、变更或废止,非经登记,不得以之对抗第三人。"如前所述,目前我国没有建立夫妻财产登记制度,为了保障第三人的利益不因夫妻财产约定而受到损害,本条第三款规定:"夫妻对婚姻关系存续期间所得的财产约定归各自所有的,夫或妻一方对外所负的债务,第三人知道该约定的,以夫或妻一方所有的财产清偿。"

这一规定以"第三人知道该约定"为条件,即在第三人与夫妻一方发生债权债务关系时,如果第三人知道其夫妻财产已经约定归各自所有的,就以其一方的财产清偿;第三人不知道该约定的,该约定对第三人不生效力,夫妻一方对第三人所负的债务,按照在夫妻共同财产制下的清偿原则进行偿还。关于第三人如何知道该约定,既可以是夫妻一方或双方告知,也可以为第三人曾经是夫妻财产约定时的见证人或知情人。如何判断第三人是否知道该约定,夫妻一方或双方负有举证责任,夫妻应当证明在发生债权债务关系时,第三人确已知道该约定。本款中的"夫或妻一方对外所负的债务",是指夫妻一方以自己的名义与第三人之间产生的债务,至于是为夫妻共同生活所负的债务,还是个人债务,在所不问,即无论是为子女教育所负的债务,或个人从事经营所负的债务,还是擅自资助个人亲友所负的债务,都适用本款的规定。

第二十条　夫妻有互相扶养的义务。

一方不履行扶养义务时,需要扶养的一方,有要求对方付给扶养费的权利。

【释义】　本条是关于夫妻间扶养义务的规定。根据本条规定,夫妻双方有互相扶养的义务。

这里的扶养是指夫妻之间的一方对其配偶负有提供生活供养责任的法律关系。如丈夫有住房的,应当向妻子提供该住房供其居住。再如,夫妻共同负担日常生活费用,也是扶养义务的体现。

夫妻之间的互相扶养既是权利又是义务,这种权利义务是平等的。也就是说,丈夫有扶养其妻子的义务,妻子也有扶养其丈夫的义务;反之,夫妻任何一方均有受领对方扶养的权利。

本条强调的是夫妻间扶养义务是相互的。夫妻相互扶养义务与夫妻地位平等是相适应的。在历史上,由于夫妻地位不平等,丈夫成为家庭的主导者,妻子实际上是其丈夫的附属品。基于妻对夫的人身依附关系,很多国家当时都规定了夫有扶养其妻的义务,妻是其夫的被扶养者。在近代资产阶级民事立法中,虽然强调天赋人权、权利平等,废除了夫权制度,但还没有完全体现夫妻权利地位的平等,如法国民法典一方面规定了夫妻负有相互忠实、帮助、求援的义务,但同时又规定了丈夫应当保护其妻子,丈夫负有接纳其妻子,并按照其财力和身份供给其妻生活上需要的义务。又如 1896 年德国民法典第 1360 条就规定,丈夫应当按照其社会地位、财产及收益能力扶养其妻。如丈夫不能扶养自己时,妻子应当按照其财产及收益地位给以与丈夫社会地位相当的扶养。21 世纪二三十年代以来,特别是第二次世界大战以后,随着科技革命的迅速发展,妇女在经济上逐渐获得独立,尤其是妇女解放运动深入发展,人们的思想观念发生了急剧的变化,在婚姻家庭立法上进行了全面调整,以夫妻权利地位平等取代了过去民法上维护夫权的规定,同时规定了夫妻有相互扶养的义务。如法国民法典第 215 条规定,夫妻有共同生活的义务。1977 年,德意志联邦共和国将以前的规定修改为:配偶双方相互负有以与其劳动能力相当的扶养义务。但是在西方,有的国家仍未摆脱夫权的传统观念,如美国,甚至在 20 世纪 70 年代,法律上仍要求丈夫负有一项明确的、不能回避的义务,即按其经济能力扶养其妻及子女。

在新中国成立以前的漫长历史时期,特别强调夫权的统治,奉行“夫为妻纲”,妻子处于无权地位,生活上完全受其丈夫的支配。在经济上,由于封闭的封建经济模式,男主外、女主内,妻子在经济上也从属于其丈夫,因此丈夫理所应当地负起扶养其妻子的义务。由于封建势力的强大和顽固,以及中国民族资产阶级的软弱和政治地位不强大,这种夫权制度一直保持到 20 世纪 40 年代。新中国成立后,1950 年制定的婚姻法,确定了男女权利平等为婚姻法的基本原则。1980 年婚姻法中进一步确认了男女权利平等为婚姻法的基本原则,在第十四条中规定了夫妻有互相扶养的义务。

本次修改婚姻法,也充分肯定了男女权利平等为婚姻法的基本原则,在本条中完全保留了1980年婚姻法第十四条规定。

根据本条的规定,有扶养能力的一方,对于有残疾、患有重病、经济困难的配偶,必须主动承担扶助供养责任。目前,在我国的一些家庭中,夫妻双方的经济收入还有一定差距,往往是丈夫收入多于妻子,在扶养问题上,丈夫应多承担一些义务。在司法实践中,在处理夫妻互相扶养问题上,更注重保护女方的合法权益。

根据本法第十九条的规定,夫妻可以约定夫妻在婚姻关系存续期间所得的财产的归属,如将其中的某项财产或收入,确定归一方所有或双方分别所有。根据本条的规定,夫妻互相扶养是法定的义务,也就是说,无论夫妻就财产的问题作出何约定,都不能免除法定的扶养义务。现实中,有的夫妻约定各自的工资或收入归各自所有,但这并不意味着,夫或妻只负担各自的生活费用而不承担扶养对方的义务,如当一方患有重病时,另一方仍有义务尽力照顾,并提供有关治疗费用。

夫或妻一方不履行扶养义务时,需要扶养的一方可以根据本条第二款的规定,要求对方付给扶养费。应当付给扶养费的一方拒绝付给的,需要扶养的另一方可以通过诉讼获得扶养费。如果夫或妻一方患病或者没有独立生活能力,有扶养义务的配偶拒绝扶养,情节恶劣,构成遗弃罪的,应当承担刑事责任。

夫妻互相扶养是在婚姻存续期间的法定义务,当离婚时,原夫妻双方就不再负担互相扶养的义务。如果一方在离婚后,生活困难的,另一方可以给予其适当的经济帮助。

第二十一条　父母对子女有抚养教育的义务;子女对父母有赡养扶助的义务。

父母不履行抚养义务时,未成年的或不能独立生活的子女,有要求父母付给抚养费的权利。

子女不履行赡养义务时，无劳动能力的或生活困难的父母，有要求子女付给赡养费的权利。

禁止溺婴、弃婴和其他残害婴儿的行为。

【释义】 本条是关于家庭中父母与子女之间抚养和赡养义务的规定。

根据本条第一款的规定，父母对子女有抚养教育的义务；子女对父母有赡养的义务。

抚养子女既是父母应尽的义务，也是子女应享有的权利。抚养是指父母抚育子女的成长，并为他们的生活、学习提供一定的物质条件。根据《中华人民共和国宪法》第四十九条规定，父母有抚养教育未成年子女的义务。《中华人民共和国未成年人保护法》第八条规定，父母应当依法履行对未成年子女的监护职责和抚养义务，不得虐待、遗弃未成年人。可见，抚养未成年子女是父母的法定义务。父母对未成年子女的抚养是无条件的，在任何情况下都不能免除；即使父母已经离婚，对未成年的子女仍应依法履行抚养的义务。对成年子女的抚养是有条件的，在成年子女没有劳动能力或出于某种原因不能维持生活时，父母也要根据需要和可能，负担其生活费用或给予一定的帮助。对有独立生活能力的成年子女，父母自愿给予经济帮助，法律并不干预。

父母对子女有教育义务。教育子女是家庭的一项重要职能，家庭教育对子女的成长有很大的影响。父母子女间的亲密关系，为教育子女提供了有利的条件。因此，教育好子女是父母双方在法律上应尽的义务，也是社会道德的必然要求。根据《中华人民共和国未成年人保护法》的规定，父母有义务促进未成年人在品德、智力、体质等方面全面发展，把他们培养成有理想、有道德、有文化、有纪律的社会主义事业的接班人。家庭和国家、社会、学校一起对未成年人进行理想、道德、文化、纪律和法律教育，也要进行爱国主义、集体主义、共产主义教育。因此父母应当以健康的思想、品德和适当的方法教育未成年子女，引导他们有益身心健康的活动，预防未成年子女吸烟、酗酒、流浪以及聚赌、吸毒等恶习。父母不但要对未成年子女从政治上、思想上关心教育，同时为子女，尤其是未成年子女的学习和受教育提供应有的物质条件。按照《中华人民共和国义务教育法》第十一条规定，父母必须使适龄的子女按时入学，接受规定年限的义务教育。《中华人民共和国未成年人保护法》第九条规定，父母应当尊重未成年子女接受教育的权利，必须使适龄的未成年子女接受义务教育，不得使在校接受义务教育的未成年子女辍学。那种对子女只抚养不教育，或者只顾眼前利益让子女“弃学务农”“弃学从商”的做法，是不符合婚姻法的精神的，同时也是违反义务教育法和未成年人保护法等法律规定，应当承担相应的法律责任。

应当注意的是，父母对子女的抚养教育义务，是父母双方的共同义务和共同责任，而非一方的单方的义务和责任。即使夫妻离异，也不能免除该义务，这是现代各国几乎都确立的父母共同亲权的原则，这也是男女平等的体现。早期的民事立法几乎都片面地把亲权的行使交予父亲一方，剥夺了母亲一方对子女的亲权。1804 年法国民法典第 33 条曾规定，父母在婚姻关系存续中，亲权由父单独行使之。1970 年修订后的法国民法典第 372 条重新规定，父母在婚姻关系期间，共同行使亲权。从而确定了共同亲权的原则。日本在 1948 年修改民法时，在第 818 条中规定，亲权由父母共同行使之。我国的婚姻法从体现男女平等的原则出发，也规定了父母双方共同承担抚养教育子女的义务和责任。如果父或母一方丧失抚养能力，如身患重病，完全丧失劳动或自理能力，可由另一方承担抚养教育子女的义务和责任。

因父母不履行抚养义务而引起的纠纷，可由有关部门调解或向人民法院提出追索抚养费的诉讼。人民法院应根据子女的需要和父母的抚养能力，通过调解或判决，确定抚养费的数额、给付的期限和方法。对拒不履行抚养义务,恶意遗弃未成年子女已构成犯罪的,应根据我国刑法的有关规定追究刑事责任。

父母对子女有抚养教育的义务,同时子女对父母也有赡养扶助义务。赡养是指子女在物质上和经济上为父母提供必要的生活条件;扶助则是指子女对父母在精神上和生活上的关心、帮助和照料。父母抚养教育了子女,也为社会创造了财富,为民族培养了后代,他们理应得到社会和家庭的尊敬和照顾。我国宪法第四十五条规定,中华人民共和国公民在年老的情况下,有从国家和社会获得物质帮助的权利。根据该规定,老年职工可以按照国家的规定领取退休金,没有亲属供养的老人可以享受国家和集体提供的福利。《中华人民共和国老年人权益保障法》也规定:国家和社会应当采取措施,健全对老年人的社会保障制度,逐步改善保障老年人的生活、健康以及参与社会发展的条件。老年人有从国家和社会获得物质帮助的权利。但是,在我国发展的现阶段,赡养老人还是家庭的一项重要职能。国家和社会对老年人的物质帮助,还不能完全取代家庭在这方面的作用。子女对父母履行赡养扶助义务,是对家庭和社会应尽的责任。根据《中华人民共和国宪法》第四十九条的规定,成年子女有赡养扶助父母的义务。《中华人民共和国老年人权益保障法》第十条规定,老年人养老主要依靠家庭,家庭成员应当关心和照料老人。

子女作为赡养人,应当履行对老年人经济上供养、生活上照料和精神上慰藉的义务,照顾老年人的特殊需要。儿子和女儿都有义务赡养父母,已婚妇女也有赡养其父母的义务和权利。根据《中华人民共和国老年人权益保障法》第十一条的规定,赡养人的配偶应当协助赡养人履行赡养义务。

一切有经济能力的子女,对丧失劳动能力,无法维持生活的父母,都应予以赡养。对不在一起生活的父母,应根据父母的实际生活需要和子女的负担能力,给付一定的赡养费用。赡养费用一般不低于子女本人或当地的普通生活水平，有两个以上子女的，可依据不同的经济条件，共同负担赡养费用。经济条件较好的子女应当自觉、主动地承担较大的责任。赡养人之间也可以就履行赡养义务签订协议，并征得老年人的同意。居民委员会、村民委员会或者赡养人所在单位监督协议的履行。

赡养人的义务具体还应表现为以下几个方面：一是应当妥善安排老年人的住房，不得强迫老年人迁居条件低劣的房屋。老年人自有的或者承租的住房，子女或者其他亲属不得侵占，不得擅自改变产权或者租赁关系。老年人的自有住房，赡养人有维修的义务。二是赡养人不得要求老年人承担力不能及的劳动。赡养人有义务耕种老年人承包的田地，照管老年人的林木和牲畜等，其收益归老年人所有。三是赡养人不得以放弃继承权或者其他理由，拒绝履行赡养义务。赡养人不履行赡养义务，老年人有要求赡养人付给赡养费的权利。老年人的婚姻自由受法律保护。子女或者其他亲属不得干涉老年人离婚、再婚及婚后生活。赡养义务不得因老年人的婚姻变化而消除。

子女不仅要赡养父母，而且要尊敬父母，关心父母，在家庭生活中的各方面给予扶助。当年老、体弱、病残时，更应妥善加以照顾，使他们在感情上得到慰藉，愉快地安度晚年。

如果子女不履行赡养义务，需要赡养的父母可以通过有关部门进行调解或者向人民法院提起诉讼。人民法院在处理赡养纠纷时，应当坚持保护老年人的合法权益的原则，通过调解或者判决使子女依法履行赡养义务。对负有赡养义务而拒绝赡养，情节恶劣构成遗弃罪的，应当承担刑事责任。

本条第四款特别规定了禁止溺婴、弃婴和其他残害婴儿的行为。溺婴不仅仅指父母用水溺杀自己的婴儿，父母杀死自己的婴儿的行为都属于溺婴，包括将婴儿用手扼死、用绳索勒死、活埋、闷死、饿死或冻死等行为。弃婴是指父母对自己的婴儿负有抚养义务而拒绝抚养的行为。1980年婚姻法只规定了禁止溺婴和其他残害婴儿的行为。本次修改婚姻法,又增加了禁止弃婴的规定。溺婴和弃婴是有其深刻的社会根源的。在新中国成立以前漫长的历史时期,有些劳动人民因为生活窘迫,无力抚养子女而被迫溺婴或者弃婴。还由于存在着男尊女卑的制度和思想,在生育问题上重男轻女,因而溺、弃女婴较多。新中国成立后,随着社会条件的变化和婚姻法的贯彻执行,溺婴和弃婴的现象已大为减少,但并未完全绝迹。目前,仍有人出于传统偏见,为了想生男孩而溺、弃女婴,有的为了逃避抚养责任而抛弃患有先天性疾病、残疾的婴儿。认真贯彻婚姻法的这一规定,对于保护婴儿的生命、实行计划生育具有重要意义。

父母对子女的抚养是法定义务。除本法规定外,《中华人民共和国未成年人保护法》第八条中也规定,父母不得虐待、遗弃未成年子女,不得歧视女性未成年人或者有残疾的未成年子女;禁止溺婴和弃婴。根据这些法律规定,父母对子女的抚养义务从子女出生之时开始,不论男婴、女婴,不论是否患有重病、是否有残疾,父母都有义务予以抚养,溺婴、弃婴和其他残害婴儿的行为应当承担法律责任。按照《中华人民共和国刑法》第二百三十二条规定,溺婴属于杀人罪,应被判处三年以上十年以下的有期徒刑。弃婴构成遗弃罪的,按照《中华人民共和国刑法》第二百六十一条规定,处五年以下有期徒刑、拘役或者管制。其他残害婴儿的行为,如属于虐待,构成犯罪的,按照《中华人民共和国刑法》第二百六十条规定,处二年以下有期徒刑、拘役或者管制,致使婴儿重伤、死亡的,处二年以上七年以下有期徒刑。

适用本条时,应当注意本条适用于婚生父母子女之间、非婚生父母子女之间、继父母子女之间、养父母子女之间的关系。

第二十二条　子女可以随父姓,可以随母姓。

【释义】 本条是关于子女姓氏的规定。

根据本条规定,子女可以随其父亲或母亲的姓。随父姓或随母姓,就是指以其父母的姓作为自己的姓氏,也就是说子女的姓氏与其父亲的姓或其母亲的姓相同。父母在子女出生后,可以协商以谁的姓作为子女的姓氏。如夫姓王,妻姓李,其子女可以姓王,也可以姓李。目前,我国多数子女随其父亲的姓。

姓名是以确定和代表个体自然人并与其他自然人相区别的文字符号和标记。姓名是自然人人身性格特征的重要标志,是自然人姓名权的客体。姓名的意义在于,姓名在法律上使一个自然人与其他自然人区别开来,以便于其参加社会活动,行使法律赋予的各种权利和承担相应义务。姓名包括姓和名。其中姓是一定血缘遗传关系的记号,标记着个体自然人从属于哪个家族血缘系统,也可以说姓氏是表示个人同一性的称呼。《辞海》中,“姓”是指“标志家族系统的称号”,并举例“《史记·屈原贾生列传》:屈原者,名平,楚之同姓也”。还有一个词与“姓”相关,就是“姓氏”。姓氏是姓与氏的合称。秦汉以前,姓和氏是不同的概念,男子称氏,女子称姓。氏是用来区别贵贱,贵族有氏,不是贵族的只有名而无氏。姓是用来区别血统,有同姓、异姓、庶姓之别。氏相同而姓不同的,可以通婚,姓相同而氏不同的,不可以通婚。秦汉以后,姓氏合一,不再区别。如《史记》中说,秦始皇为“姓赵氏”,汉高祖为“姓刘氏”。现在姓氏一般就是指姓,常见“按姓氏笔画为序”等表述。

子女的姓是其身份的标志。在中国历史上,一般子女随父姓,女子婚后在自己的姓前冠夫姓。这与历史上形成的继承制度有关。在奴隶制社会就形成了父承子继的继承制度,在封建社会,土地和其他财产,都是按照血缘、宗族关系建立起来的严格的等级制度分配的,因此在奴隶制继承制度的基础上,形成了宗祧继承,强调由嫡长子继承,这实际上是按照封建血缘宗法制度建立的继承制度,而且封建继承还包括身份的继承,如爵位继承、官员袭荫和食封继承等。这些制度就严格要求了婚生子女必须随父姓以证明其血统和血缘。这种封建性做法曾经得到当时许多国家的认可，有的还在法律中予以规定。如在英国，根据习惯，一个人如婚生的，则取父姓，如果是非婚生的，则取母姓。在19世纪初，普鲁士法、奥地利民法和撒克逊民法中规定，嫡生子冠父姓，私生子冠母姓，弃儿由官吏命名。在资本主义社会，废除长子单独继承的制度，所有子女都是继承人，继承的主要是财产而不是身份，而且随着遗嘱继承的发展、完善和亲子关系制度的确立，法律上也不再强调子女只能随父姓。如德国民法典规定，子女以其父母的婚姻姓氏为出生姓氏。如果是非婚生子女，生父母对其有共同的照顾权，可以确定父亲或母亲的姓氏为该子女的出生姓氏。如果父母在子女满五周岁之后确定婚姻姓氏，则婚姻姓氏在子女同意接受此姓氏后方得成为该子女的出生姓氏。但在有些国家，还是以子女随父姓为原则。

我国在国民政府时期，民法中曾规定，子女从父姓，赘夫的子女从母姓。后来修改为：子女从父姓。但无兄弟的，可约定其子女从母姓。赘夫的子女从母姓，但可约定其子女从父姓。我国在1980年婚姻法第十六条中，则明确规定了子女可以随父姓，也可以随母姓。这是主要考虑到夫妻男女平等，夫妻双方对其子女的姓氏应有同等的决定权。而且又考虑到中国人基于传统上子嗣观念，每当连生女孩后，还想生男孩，这样做，不但有违家庭计划生育原则，也不利于母亲的身体健康，增加家庭负担。规定子女可从母姓，可以在一定程度上起到遏制无节制生育的弊害。

本条的规定与1980年婚姻法第十六条的规定的精神是一样的，但删除了一个“也”字，即“子女可以随父姓，可以随母姓”，这样更加突出了父母对子女姓氏决定权的平等，进一步体现了男女平等和夫妻家庭地位平等的原则。

有人认为，公民有决定自己姓名的权利，任何人无权干涉。由父母起名字，是对子女的自我命名权的否定。实际上，子女在出生时，无民事行为能力，父母确定子女的姓氏是父母行使亲权的体现。子女在成年后，可以通过姓名变更手续，由随父姓改为随母姓，或由随母姓改为随父姓。

非婚生子女，大多随母姓，也可以随生父的姓。继子女可以保留自己原来的姓，即其父或母再婚前使用的姓，也可以随后父或后母的姓。如果继子女已有辨别能力的话，应当尊重其自己的意见。如果继子女小时候，改随后父或后母的姓，其成年后，有权利改回其原来使用的姓。在收养关系下，随着收养关系的成立，养父母子女关系确立，作为身份关系的一种标志，养子女的姓氏应当发生相应的变化，以表明其身份关系的变化。因此收养成立后，养父母可以改变养子女的姓氏。根据《中华人民共和国收养法》第二十四条规定，经当事人协商一致，养子女可以保留原姓。同时该条又规定，养子女可以随养父的姓，也可以随养母的姓，这与本条规定是一致的。

第二十三条　父母有保护和教育未成年子女的权利和义务。在未成年子女对国家、集体或他人造成损害时，父母有承担民事责任的义务。

【释义】　本条是关于父母保护教育未成年子女的权利和义务的规定。

这一规定基本上沿用了1980年婚姻法第十七条的规定，当时这条规定是对1950年的婚姻法作了重要补充，实际上是有关亲权和监护权的规定。后来，我国民法通则等有关法律进一步完善了父母对未成年子女的监护规定。理解本条，应当了解以下几层含义：

一、未成年子女

在1980年制订婚姻法时，法律对“未成年子女”没有明确的界定。但在这之后,1986 通过的《中华人民共和国民法通则》第十一条第一款规定,十八周岁以上的公民是成年人。根据该规定,未满十八周岁的公民就是未成年人。1991 年通过的《中华人民共和国未成年人保护法》第二条明确规定,未成年人指未满十八周岁的公民。根据这些法律规定,本条所称的未成年子女是指未满十八周岁的子女。

二、父母对其未成年子女有保护和教育的义务

《中华人民共和国民法通则》第十六条第一款规定,未成年人的父母是未成年人的监护人。对未成年子女的保护和教育是父母作为监护人的重要职责。

所谓的保护,是指父母应当保护其未成年子女的人身安全和合法权益,预防和排除来自外界的危害,使其未成年子女的身心处于安全状态。民法通则第十八条第一款规定了监护人的基本职责是:“保护被监护人的人身、财产及其他合法权益,除为监护人的利益外,不得处理被监护人的财产。”根据该规定,父母对其未成年子女的保护主要包括人身保护和财产保护。对未成年子女的人身保护主要包括:照顾未成年子女的生活,保护其身体健康;保护未成年子女的人身不受侵害;为未成年子女提供住所等。对未成年子女的财产保护主要指为未成年子女的利益管理和保护其财产权益,除为未成年子女的利益外,不得处理属于该未成年子女的财产。如果父母未履行监护职责或者侵害未成年子女合法权益,造成未成年子女损失的,应当赔偿损失。父母对未成年子女的保护还体现在,父母代理其未成年子女进行民事活动。根据民法通则的规定,未成年人是不具有完全行为能力的人,未成年子女只可以独立进行与他的年龄、智力或者健康状况适应的民事活动,其他活动应当由其父母进行代理,或者经父母同意后进行。当未成年子女的权益受到侵害时,其父母有权以法定代理人身份提起诉讼,维护未成年子女的合法权益。

本条的“教育”侧重于管教的意思，是指父母要按照法律和道德要求，采取正确的方法，对其未成年子女进行教导，并对其行为进行必要的约束，其目的是为了保障未成年子女的身心健康。未成年子女是未满十八周岁的人，不论在生理上还是在心理上，都处在未完全成熟时期，他们的人生观、世界观也尚未完全形成，辨别是非的能力和控制自己行为的能力都很弱。在这个时期，他们极易接受外界的不良影响，养成不良习惯，实施不良行为。因此父母应当加强对其未成年子女的教育，提高他们的心理素质，培养他们的良好品行，增强他们辨别是非的能力，保证他们的心理健康。对未成年子女的管教，应当从小抓起。儿童时期正是开始学知识、长见识的时期，也正是思想活跃，但是非观念模糊的时期，容易接受好的东西，也容易接受坏的东西。从这个时期开始对未成年子女进行理想、道德、法制和爱国主义、集体主义、社会主义教育，这样就可以用好的、美的、正确的东西，去占领他们的内心世界，保障他们身心健康地成长。当前，在社会上仍然存在不少妨害未成年人勤学向上、健康成长的消极因素。如一些企业和场所违法经营，渲染暴力、淫秽、色情内容的非法出版物屡禁不止，吸毒、卖淫等社会丑恶现象沉渣泛起等。这些丑恶社会现象，不仅严重地污染了社会风气，危害了未成年人的心理健康，也为未成年人误入歧途，走上犯罪，提供了不良土壤。父母应当就不良行为的性质、范围、危害等对未成年子女进行专门教育，使其树立防范意识；对于已有不良行为的未成年子女，则应当加强教育约束，制止和纠正其不良行为。对未成年子女的管教应当尊重其人格尊严，根据适应未成年人身心发展的特点，通过多种形式进行教育和管束。虽然在管教过程中，父母可以对未成年子女使用适当的惩戒手段，但不得对其使用暴力或以其他形式进行虐待。

三、父母对其未成年子女的保护和教育既是权利又是义务

父母对其子女的保护和教育是基于亲权和监护权上的权利。

如对未成年子女生活进行照顾的权利，在管教子女过程中的惩戒权，当未成年子女被绑架时有要求交还的请求权，还有在未成年子女进行民事活动中的法定代理权。《中华人民共和国民法通则》第十八条规定，监护人依法行使监护的权利，受法律保护。

父母对未成年人的保护和教育也是法律规定的家庭义务。因为保障未成年人的身心健康，培养未成年人的良好品行，也是维护社会安定，发展社会主义法制，促进社会主义精神文明建设，培养社会主义建设人才，保证社会主义建设顺利进行，实现建设有中国特色的社会主义的宏伟目标的需要。同时考虑到家庭的环境和父母的品行，对未成年人的成长有着极其重要的影响。家庭是社会的细胞和窗口，是未成年人出生后的第一所启蒙学校，父母是未成年子女的第一任启蒙老师，未成年子女生活的主要环境就是家庭，所受到的最初教育就是父母的教育，父母的言传身教，对未成年人的心理、个性、道德品质、理想、情操的形成，都起着非常重要的作用。而且父母一般是和其未成年子女生活在一起，照料他们的衣食住行，而未成年子女对其父母有着很大的依赖性，使父母便于了解他们的行为情况，便于掌握他们的心理和要求，有利于及时有针对性地进行教育。

基于上述原因，有些法律明确规定了父母对其未成年子女管教和保护的职责。如根据《中华人民共和国未成年人保护法》第三条的规定，父母应当根据其能力，同国家、社会、学校一道对其未成年子女进行理想教育、文化教育、纪律和法制教育，进行爱国主义、集体主义和国际主义、共产主义的教育，培养爱祖国、爱人民、爱劳动、爱科学、爱社会主义的公德，反对资本主义的、封建主义和其他腐朽的思想侵蚀。该法第十条又规定，父母应当以健康的思想、品行和适当的方法教育其未成年子女，引导其未成年子女进行有益身心的活动，预防和制止未成年子女吸烟、酗酒、流浪以及聚赌、吸毒、卖淫等不良行为。又如《中华人民共和国预防未成年人犯罪法》第十条规定,未成年人的父母对未成年人的法制教育负有直接责任。该法第十四条规定,未成年人的父母或者其他监护人和学校应当教育未成年人不得有下列不良行为:(一)旷课、夜不归宿;(二)携带管制刀具;(三)打架斗殴、辱骂他人;(四)强行向他人索要财物;(五)偷窃、故意毁坏财物;(六)参与赌博或者变相赌博;(七)观看、收听色情、淫秽的音像制品、读物等;(八)进入法律、法规规定未成年人不适宜进入的营业性歌舞厅等场所;(九)其他严重违背社会公德的不良行为。该法第十五条规定,未成年人的父母或者其他监护人和学校应当教育未成年人不得吸烟、酗酒。任何经营场所不得向未成年人出售烟酒。该法第十九条规定,未成年人的父母或者其他监护人,不得让不满十六周岁的未成年人脱离监护单独居住。该法第二十条规定,未成年人的父母或者其他监护人对未成年人不得放任不管,不得迫使其离家出走,放弃监护职责。未成年人离家出走的,其父母或者其他监护人应当及时查找,或者向公安机关请求帮助。

这些法律也对父母未能履行监护职责的责任作了相应规定。如民法通则第十八条中规定,监护人不履行监护职责或者侵害被监护人的合法权益的,应当承担责任。人民法院可以根据有关人员和有关单位的申请,撤销监护人的资格。再如《中华人民共和国未成年人保护法》第十二条规定,父母或者其他监护人不履行监护职责或者侵害被监护的未成年人的合法权益的,应当依法承担责任。如父母或者其他监护人不履行监护职责或者侵害被监护的未成年人的合法权益,经教育不改的,人民法院可以根据有关人员和有关单位的申请,撤销其监护人的资格,并根据民法通则的有关规定,另行确定监护人。又如《中华人民共和国预防未成年人犯罪法》第四十九条规定,父母未能履行监护职责,放任其未成年子女的违法犯罪的不良行为的,由公安机关对未成年人父母予以训诫,责令其严加管教。该法第五十条规定,父母让其不满十六周岁的未成年子女脱离监护单独居住的，由公安机关对未成年人父母予以训诫，责令其立即改正。

四、父和母都有权利和义务保护和教育其未成年子女

根据本条的规定，对未成年子女的保护和教育的权利和义务由父母双方行使，这也是男女平等和夫妻家庭法律地位平等的体现。在我国奴隶和封建社会，父母与子女的关系强调父权和父治，要求子女服从父亲的管治，奉行“父为子纲”“子不教，父之过”，子女一般也没有独立的财产，家中的财产一般由父亲全权支配。母亲在家庭中一般没有什么权利，亲权集中由父亲行使。在国外，早期的资本主义立法也把亲权单方面授予父亲，如1804年的法国民法典第33条就规定，父母婚姻存续期间，亲权由父亲单方行使。后来，随着社会的进步，亲权逐渐摆脱了家族主义和父权的束缚，许多国家在立法上规定了共同亲权原则，如法国民法典第371条规定，父母有权保护子女的安全、健康及道德品行。父母对子女负有照管、监督及教育的权利和义务。

在新中国成立后，实现了男女平等，在家庭关系上，实行夫妻地位平等。在1980年制订婚姻法时，就明确规定了父母都有管教和保护其未成年子女的权利和义务。1992年通过的《中华人民共和国妇女权益保障法》第四十五条第一款也明确规定，父母双方对未成年子女享有平等的监护权。这次修改的婚姻法，同样肯定了上述的规定。

五、在未成年子女对国家、集体或他人造成损害时，父母有承担民事责任的义务

根据民法通则第一百三十三条的规定，未成年人造成他人损害的，由父母承担民事责任。1980年婚姻法只规定了父母承担经济赔偿的责任，这次修改婚姻法时，考虑到经济赔偿责任有些窄，于是修改为“承担民事责任”。这样规定，不仅充分保护受害一方的合法权益，而且可以增强父母对其未成年子女管教的责任感。

至于承担责任的条件、方法等，应当适用民法通则等法律规定。父母尽了监护责任的，可以适当减轻他的民事责任。如果未成年子女有自己的财产，造成他人损害时，从其本人财产中支付赔偿费用。不足部分，由其父母赔偿。

父母应当承担民事责任的主要方式是赔偿经济损失，除此之外，根据民法通则第一百三十四条的规定，还有以下几种方式：（一）责令其未成年子女停止侵害；（二）排除妨害；（三）消除危险；（四）返还财产；（五）恢复原状；（六）修理、重做、更换；（七）消除影响、恢复名誉；（八）赔礼道歉等。这些民事责任，可以单独适用，也可以合并适用。如儿童甲在玩闹中，将儿童乙的手打伤。儿童甲的父母应当承担儿童乙的治疗费用，并应当带着甲向乙赔礼道歉。又如，某小学生甲在踢足球时，把教室的玻璃打破了，甲的父母应当向学校赔偿损失，或者负责更换新玻璃。

第二十四条　夫妻有相互继承遗产的权利。

父母和子女有相互继承遗产的权利。

【释义】　本条是关于夫妻、父母子女之间有相互继承权的规定。

根据本条的规定，夫妻有相互继承遗产的平等权利，子女有继承父母遗产的平等权利，父母有继承子女遗产的平等权利。在同一亲等中，同一继承顺序中，不论是儿子，还是女儿，也不论是父亲，还是母亲，均有同等的继承权，不因性别的差异而有所区别。本条主要有以下几层含义：

一、继承、继承权与遗产

理解本条的含义，有必要先了解一下有关继承、继承权与遗产的基本知识。所谓的继承是指财产所有人死亡或者被宣告死亡之时起，按照法律规定将死者遗留下来的财产转移给他人所有的一种法律制度。死者遗留下来的财产和财产权利，称为遗产。遗留财产的死者,称为被继承人。继承遗产或者有权继承遗产的人称为继承人。继承人根据法律规定,取得遗产的权利,称为继承权。

在我国,继承权的主体是公民(自然人)。在本条里是指夫或妻、父母子女。根据《中华人民共和国继承法》的规定,配偶、子女、父母同属第一继承顺序。同一顺序的继承人继承遗产的份额,一般应当均等。也就是说,配偶、子女、父母的继承权是平等的。但是在特殊情况下,同一顺序的继承人继承的份额也不是绝对均等的。如对生活有特殊困难又缺乏劳动能力的继承人,分配遗产时,应当受到照顾。对被继承人尽了主要抚养义务或者与被继承人共同生活的继承人,分配遗产时,可以多分。有抚养能力和有抚养条件的继承人,不尽抚养义务的,分配遗产时,应当不分或者少分。

继承权的客体是被继承人的遗产。遗产包括死者遗留下来的财产和财产权利。我国继承法所确立的继承制度,是单纯的财产继承制度,与以前封建社会中的宗祧继承制度根本不同。在宗祧继承制度中,身份继承、祭祀祖先的继承和财产继承三者一体,身份继承、祭祀祖先的继承居主导地位,财产继承是身份继承、祭祀祖先的继承的附属物。宗祧继承实质是男子为中心的嫡长子继承制。新中国成立后,废除了宗祧继承的旧制度,确立了单纯的财产继承制度,这也是目前世界上绝大多数国家所采取的继承制度。根据《中华人民共和国继承法》的规定,遗产是公民死亡时遗留下来的个人合法财产,包括:(一)公民的收入;(二)公民的房屋、储蓄和生活用品;(三)公民的林木、牲畜和家禽;(四)公民的文物、图书资料;(五)法律允许公民所有的生产资料;(六)公民的著作权、专利权中的财产权利;(七)公民的其他合法财产,如个人承包应得的收益。

二、夫妻有相互继承遗产的权利

夫妻互相享有继承权,是夫妻双方在婚姻关系、家庭关系中地位平等的一个重要标志。在奴隶社会和封建社会,妻子在继承问题上基本处于无权地位。在“父死子继”的宗祧继承制度下,否认女子的继承权,丈夫死后,其遗产首先由其儿子继承,妻子只有在不改嫁的前提下,才能管理丈夫的遗产。只有在丈夫死后,其财产又无别的男子继承,成为“绝户产”时,妻子才能继承丈夫的遗产。但是由于封建社会中多妻制和收养制存在,真正成为“绝户产”的可能性非常小。同时,由于当时还盛行“立嗣”制度,又进一步从根本上排除了妻子继承财产的可能性。新中国成立后,1950 年中华人民共和国颁布的婚姻法,确立了男女平等的原则,在继承问题上,彻底废除了以男子为中心的宗祧继承制度,在法律上赋予女子与男子同等的继承权。1985 年通过的《中华人民共和国继承法》规定,“继承权男女平等”,配偶与子女、父母同为第一顺序的继承人。

夫妻间的继承权是基于婚姻的法律效力产生的,是以夫妻的人身关系为前提的。也就是说,只有具备合法婚姻关系的夫妻双方,才能以配偶身份继承对方的遗产。如双方属于婚外姘居的,如“包二奶”的情况下,双方就不享有相互继承权。在实践中还应当区分以下几种情况:(一)男女双方符合法定的结婚条件,并依法办理了结婚登记手续,但由于种种原因未同居生活。这种情况下,双方是合法婚姻关系,一方死亡时,生存的另一方仍可以以配偶身份继承对方的财产。(二)在现实生活中,男女双方依法办理了结婚登记手续,但尚未举办婚礼,这在法律上仍是合法的婚姻关系。如果这时候一方死亡,生存的另一方仍可以以配偶身份继承对方的财产。(三)双方的婚姻根据本法属于无效婚姻的,如重婚,一方死亡时,生存的另一方不享有继承权,不能以配偶的资格继承对方的财产。(四)双方婚姻根据本法属于可撤销婚姻的,如果婚姻未被撤销之前,一方死亡的,生存的另一方可以继承对方的财产。

夫或妻一方死亡时,继承开始,首先要确定哪些财产属于被继承人的遗产。被继承人的财产一般包括在夫妻共同财产中的份额以及其个人财产。共同财产主要是指除另有约定外夫妻在婚姻存续期间所得的财产,包括工资、奖金,生产、经营的收益,知识产权的收益,继承或赠与所得的财产等。夫妻可约定其个人特有财产全部归共同所有或部分共同所有,这部分财产也属于共同财产。夫妻个人财产主要包括:一方的婚前财产;因一方身体受到伤害获得的医疗费、残疾人生活补助费等费用;遗嘱或赠与合同中确定只归夫或妻一方的财产;一方专用的生活用品和其他应当归一方的财产。根据我国继承法的规定,在分割遗产时,夫妻在婚姻关系存续期间所得的共同所有的财产,除另有约定外,应当将共同所有的财产的一半分出为配偶所有,其余的为被继承人的遗产。也就是说,被继承人的个人财产、共同财产的一半为其所有遗产,如果丈夫生前没有立遗嘱,其生存的配偶与其他第一顺序的继承人,包括被继承人的子女、父母按照法定继承均分其遗产。如夫妻在婚姻存续期间的共同财产为十二万元,丈夫的个人财产有三万元。双方没有财产约定。丈夫去世后继承遗产时,应当将十二万元的共同财产的一半即六万分出归妻子所有。余下的六万元和被继承人的三万元个人财产共九万元作为遗产。如果被继承人还有一个儿子和父母,妻子应当与他们均分,妻子应得三万元的遗产。当然,夫妻可以在生前约定其共同财产的分割,如约定无论谁先去世,共同财产暂不分割,等都去世后,由继承人继承。也可以约定夫妻财产在继承分割时,其中三分之二归生存方所有,三分之一作为去世方的遗产。如果夫妻在平等自愿的基础上作出此类约定,法律应当尊重其约定。

根据本条规定,夫妻一方死亡后,生存的另一方依法继承死者遗产后,就取得了该财产的所有权,有权根据自己的意愿和利益在法律允许的范围内占有、使用和处理该财产,如果再婚,有权带走或处分其继承的财产。对此《中华人民共和国继承法》第三十条明确规定，夫妻一方死亡后另一方再婚的，有权处分所继承的财产，任何人不得干涉。根据该规定，寡妇因再婚离开原家庭时，有权将其继承其亡夫的财产带走。

三、父母和子女间有相互继承权

根据本条的规定，子女可以继承其父母的遗产，父母可以继承其子女的遗产。也可以理解为，父母与子女之间相互有继承权。这种权利是以双方之间的身份为依据的。父母、子女都是被继承人的最近的直系血亲，他们之间有极为密切的人身关系和财产关系。根据《中华人民共和国继承法》的规定，子女、父母都是第一顺序的继承人。

（一）父母

这里享有继承权的父母，包括生父母、养父母和有抚养关系的继父母。被继承人的父和母，继承其死亡子女的财产的权利是平等的。

亲生父母与子女之间的关系，是自然血亲关系。亲生父母有对其子女的继承权。父母之间的婚姻的离异和变化，不影响亲生父母与子女之间的关系，父母即使离婚，也可以继承其亲生子女的财产。如父母有抚养能力和抚养条件，但未尽抚养子女的义务，在分配子女的遗产时，应当不分或者少分。

养父母是指收养他人子女为自己子女的人。养父母与养子女虽不是己身所出的血亲，但基于收养关系的确立并对子女尽了抚养义务，是拟制血亲，与亲生父母处于同等的继承地位。养父母对养子女而言，只要他们之间的收养关系没有中断，权利义务依然存在。养父母离婚的，双方仍然对养子女进行抚养的，仍可以继承其养子女的财产。如果养父母离婚，养子女归一方抚养，未尽抚养义务的另一方不能继承养子女的财产。

继父母如果尽了抚养义务，与继子女之间产生一种特殊的拟制血亲。尽了抚养义务的继父母在继承上与亲生父母处于相同的法律地位。如果继父与生母离婚,继子女随生母生活,继父与继子女之间的抚养关系中断,继父与继子女之间的血亲关系消灭,继父不享有继子女的财产继承权。反之继母与生父离婚,继子女随生父生活,继母与继子女之间的抚养关系中断,继母与继子女之间的血亲关系消灭,继母不享有继子女的财产继承权。

(二)子女

享有继承权的子女,包括亲生子女、养子女和有抚养关系的继子女。

亲生子女包括婚生子女和非婚生子女。按照《中华人民共和国继承法》第十条的规定,不论婚生子女,还是非婚生子女,都有同等的继承权。成年子女有赡养能力和赡养条件,但未尽赡养义务,在分配父母遗产时,应当不分或者少分。

养子女是指被收养的子女。收养他人子女为自己子女的人为养父母。收养关系一经确立,养子女取得与亲生子女同等的法律地位,同时养子女与生父母之间的权利义务关系消除。这样养子女可以继承养父母的财产,但不能继承其生父母的财产。如果抚养关系解除,养父母与养子女之间的抚养关系中断,原养子女就享有对生父母财产的继承权。

继子女是夫妻一方对另一方与其前夫或前妻所生子女而言。继子女与继父或继母之间形成了抚养和赡养关系,继子女对继父或继母的财产有继承权。如果继父与生母或继母与生父离婚,继父母不再抚养继子女,原继子女也不再赡养原继父母,原继子女不享有对原继父母财产的继承权。还有一点要注意,因为亲生父母子女之间的天然血亲关系不因父母离婚而消灭,因此,有抚养和赡养关系的继子女在继承继父母遗产的同时,仍然有权继承自己生父母的遗产。但是,如果有赡养能力和赡养条件的继子女对其生父或生母未尽赡养义务,在遗产分割上,就应当少分或不分。

作为继承人的子女,不论性别,不论已婚还是未婚,都平等地享有继承权。在我国现实生活中，特别是在广大农村地区，女儿出嫁后，由于一些重男轻女的封建思想，如女儿不能传宗接代，出嫁后，不能在娘家顶门立户等，存在着忽视或取消已婚女儿的继承权现象。按照本条和我国继承法的有关规定，这种做法是错误的。法律保护已婚女儿合法的继承权利。如果女儿出嫁后，赡养其父母的义务主要由她的兄弟们承担。在这种情况下，已婚女儿往往就不提继承父母财产的要求了，这可以看做是其放弃继承权。这种情况，既符合继承法中权利义务相一致的原则，也符合一般情况和不少地区的风俗习惯。

第二十五条　非婚生子女享有与婚生子女同等的权利，任何人不得加以危害和歧视。

不直接抚养非婚生子女的生父或生母，应当负担子女的生活费和教育费，直至子女能独立生活为止。

【释义】 本条是关于非婚生子女和父母权利和义务的规定。

这次修改婚姻法对本条的规定进行了完善。

非婚生子女是指没有婚姻关系的男女所生的子女。非婚生子女主要包括以下几种情况：未婚男女或已婚男女与第三人发生性行为所生的子女、无效婚姻当事人所生子女以及妇女被强奸后所生的子女。

关于非婚生子女的法律地位，经历了一个较长的、分阶段的发展过程。早期为了保护一夫一妻的婚姻制度，各国对非婚生子女普遍采取歧视的态度，不仅在法律上没有给他们应有的权利，而且在现实生活中非婚生子女也受到了不同程度的虐待。比如，英国普通法上规定，非婚生子女不属于任何人的子女，其父不负有抚养的义务。法国1806年的民法典中也规定，非婚生子女不得请求其父认领，非婚生子女不得主张婚生子女的权利、非婚生子女不得为继承人。对于认领过的非婚生子女，与婚生子女同时继承时，其继承的份额仅为婚生子女的三分之一。20世纪初，人们开始认识到非婚生子女的出现是基于其父母的过错和责任，非婚生子女本身是无辜的，因此，法国率先取消了“禁止搜索生父”的规定，此后，德国等一些国家也陆续在法律中规定，非婚生子女与婚生子女具有相同的待遇。进入20世纪60年代以来，随着人权思想的深入，同时为了防止遗弃私生子导致的社会混乱，英国、德国、波兰以及北美等国家均加大了对非婚生子女保护的力度，非婚生子女的法律地位和处境得到进一步的改善。

非婚生子女在我国以前被俗称为“私生子”，具有一定歧视的含义。清末的《大清现行刑律》中就对非婚生子女的继承问题作出了种种限制，明确在继承财产时“奸生子、婢生子依子量予半分”。新中国成立以后，我国法律赋予非婚生子女与婚生子女相同的权利和义务，不仅在婚姻法中明确了非婚生子女的法律地位，而且在继承法中也对非婚生子女的继承问题作出了明确规定。

根据本条的规定，我国婚姻法对非婚生子女的保护主要有以下几个方面：

一、对非婚生子女不得歧视和危害

对于非婚生子女的歧视和危害主要有两方面：一方面是来自家庭内部的歧视和迫害。当非婚生子女的生母或生父与第三方结婚，非婚生子女一般也会随父亲或母亲来到新的家庭。由于非婚生子女的加入涉及家庭财产的分割等若干利益冲突，非婚生子女往往受到新家庭成员的歧视和虐待。另一方面是来自社会各方面的歧视和迫害。虽然近些年来人们对非婚生子女的认识有了很大的改变，但仍然有一些人还是将对非婚生子女生父母行为的异议和鄙视，发泄在非婚生子女身上，致使一些非婚生子女的身心受到了极大的伤害。据某报报道，一非婚生女和其生母生活二十多年，对自己的身份一直不明真相。该女工作后，一次与一位同事因工作之事发生争执，对方大骂该女是强奸犯的后代，事后又多次在单位散布同样的言论。虽然其说法基本属实，但对该女造成了极大的伤害，致使该女不堪忍受舆论的压力，跳楼身亡。因此，对于非婚生子女而言，其所在的幼儿园、学校、工作单位及住所地对其成长都会产生很大的影响，各方面不仅不得歧视和迫害非婚生子女，还应当认识到非婚生子女是无辜的，他们的身份不是自己所选择的，社会各界应当对于当事人的隐私给予应有的尊重和保护，给非婚生子女更多的关爱，以弥补他们在家庭生活中的缺憾。总之，给非婚生子女一个健康的生存环境，应当成为社会文明程度的标志。

二、非婚生子女的生父、生母都应当负担子女的生活费和教育费

婚姻法修改之前，仅规定非婚生子女的生父应当负担其子女生活费和教育费的一部分或全部。这主要是由于当时非婚生子女一般都是随生母生活，因此，法律上需要强调生父应当承担的责任。但是，近些年来，出现了一些非婚生子女随生父生活的情况，这就要求法律对这种情况作出规定，明确其生母在此情况下应当承担的责任，否则，会造成非婚生子女父母双方法律地位的不平等，无法充分保障非婚生子女的健康成长。因此，这次婚姻法对此问题作出了修改，明确只要不与非婚生子女生活在一起，未直接抚养非婚生子女的，不论是生父还是生母，都应当负担子女的生活费和教育费，直到该子女独立生活时为止。如果不与非婚生子女生活在一起的一方拒绝履行该抚养义务的，那么，非婚生子女有权向人民法院起诉要求其承担相应的义务。我国某法院曾处理过一起要求生父支付抚养费的案件。原告是两个未成年的姐妹，是其母李某与王某在恋爱期间所生，后来李某与张某结婚几年后，两原告一直与其生母和张某共同生活。几年后张某提出与原告的生母李某离婚，并以两原告不是其所生及经济困难为由拒绝抚养两原告。为此，两原告诉请人民法院，要求其生父王某承担抚养义务。人民

法院在审理中认为,被告王某系两原告的生父,又有一定的经济条件,根据有关法律的规定,非婚生子女的生父应当负担子女必要的生活费和教育费的一部或全部,直至子女能独立生活为止,所以,被告王某应当承担两原告的抚养义务。后该案经人民法院调解,被告王某同意按每月每人三十元付给两原告生活费,直到两原告满十八周岁。

三、非婚生子女与生父母间有相互继承遗产的权利

我国继承法第十条规定:“遗产按照下列顺序继承:第一顺序:配偶、子女、父母。第二顺序:兄弟姐妹、祖父母、外祖父母。继承开始后,由第一顺序继承人继承,第二顺序继承人不继承。没有第一顺序继承人继承的,由第二顺序继承人继承。本法所说的子女,包括婚生子女、非婚生子女、养子女和有扶养关系的继子女。本法所说的父母,包括生父母、养父母和有扶养关系的继父母。本法所说的兄弟姐妹,包括同父母的兄弟姐妹、同父异母或者同母异父的兄弟姐妹、养兄弟姐妹、有扶养关系的继兄弟姐妹。”继承法的这一规定,使我国的非婚生子女与婚生子女在继承时与婚生子女完全享有相同的权利和义务,使非婚生子女不会因为其出生问题受到不公平的待遇,在继承财产时不分或者少分。同样,在非婚生子女的父母继承非婚生子女的财产时,他们之间的权利和义务也完全等同于父母子女之间的权利和义务。

对于非婚生子女的问题,一些国家都规定了准正和认领制度,以确认非婚生子女与生父之间的关系,使非婚生子女婚生化。所谓准正是指已出生的非婚生子女因生父母结婚或司法宣告而取得婚生子女资格的制度。准正的形式有两种,第一种形式是因生父母结婚而准正。这项制度各国法律的规定有所区别,德国、秘鲁等国家仅以生父母结婚为准正的条件;法国、日本、瑞士等国家则以生父母结婚和认领为准正的双重要求。第二种形式是因法官宣告而准正,即男女双方订立婚约后,一方死亡或有婚姻障碍,使婚姻

准正不能实现时，可以依照婚约一方当事人或子女的请求，由法官宣告子女为婚生子女。德国等国家采取的是这种方式。非婚生子女通过准正的方式取得了婚生子女的资格，但发生效力的时间有所不同。法国等国家规定，从父母结婚或法院宣告为婚生之日起算；日本、德国、瑞士等国家则规定自子女出生之日起发生婚生效力。所谓认领制度是指通过法定程序使非婚生子女实现婚生化的法律行为。认领通常是在非婚生子女无法准正的条件下出现的。认领的形式有两种：一种是任意认领，即生父承认自己为该非婚生子女的生父，并自愿对其承担抚育义务的法律行为；另一种是强制认领，即当非婚生子女的生父不主动认领时，有关当事人诉请法院予以强制认领的制度。强制认领有一定的诉讼时效，瑞士等国的法律规定为从子女出生时起算为一年，法国的规定为二年。我国此次修改婚姻法对非婚生子女的准正和认领制度都没有作出规定，但在司法实践中对于生父母在子女出生后补办结婚登记的，一般该子女均视为是婚生子女。至于强制认领的情况，在司法实践中也出现过，一些非婚生子女的生母诉请人民法院通过亲子鉴定的方式来确认其子女的生父，以要求其生父承担相应的法律责任。随着科学技术的发展，目前亲子鉴定的准确率也越来越高，通过鉴定证据确凿的，法院可以强制要求非婚生子女的生父按照法律的规定负担子女生活费和教育费的一部分或全部，直至子女独立生活时为止。

第二十六条　国家保护合法的收养关系。养父母和养子女间的权利和义务，适用本法对父母子女关系的有关规定。

养子女和生父母间的权利和义务，因收养关系的成立而消除。

【释义】　本条是关于养父母和养子女之间权利和义务的规定。

收养是一方当事人领养他人的子女为自己的子女的行为，通过收养行为,收养人和被收养人之间形成了拟制的血亲关系。收养制度是亲属制度中重要的组成部分,我国1950年婚姻法就对收养制度作出过规定,1980年婚姻法进一步对养子女的法律地位及养子女和养父母、生父母的法律关系作出了明确规定。1991年12月29日我国第一部收养法正式公布,并于1992年4月1日起施行。收养法确定了平等、自愿,有利于被收养的未成年人的成长,不得违反社会公共利益等收养活动应当遵守的原则,而且对收养人及被收养人的条件、收养的程序等内容都作出了规定。1998年11月,在全面总结收养法实施以来实践经验的基础上,九届全国人大第五次会议又通过了对收养法修改的决定。在坚持原收养法所确立的原则的前提下,适当放宽了收养的条件并完善了收养的程序,使合法的收养关系能得到更充分的保护。根据我国现行收养法的规定,合法收养关系的确立应当具备以下几方面条件:

一、收养关系各方当事人应当具备的条件

(一)收养人应当具备的条件。根据我国收养法的规定,收养人应当具备以下条件:(1)无子女,既包括未婚无子女,也包括已婚因生理缺陷无子女或者尚未生育子女。(2)有抚养教育被收养人的能力。主要是指收养人应当具备一定的抚养子女的经济能力和具有良好的品行。(3)年满三十周岁。收养法修改之前,曾规定收养人必须满三十五周岁,这一规定比世界上许多国家规定的年龄都高。按照我国婚姻法规定的结婚年龄来计算,未生育子女的夫妻一般要等婚后十多年才能收养子女,因此,收养人需三十五岁的规定年龄偏高,不能满足人们收养子女的要求,也不利于对子女的抚养。收养法修改后降低了收养人的年龄,将收养人的年龄从满三十五周岁改为满三十周岁,以更符合有抚养能力又愿意收养子女的公民的需要。(4)无配偶的男性收养女性的,收养人与被收养人的年龄应当相差四十周岁以上。(5)有配偶者收养子女,须夫妻双方同意。这主要因为对子女进行抚育是夫妻双方共同的义务，所以，夫妻双方应当达成协议才能收养，否则，一方收养另一方不接受的，既不利于被收养子女的健康成长，也不利于夫妻感情的和睦。(6)收养三代以内同辈旁系血亲的规定。收养三代以内旁系血亲的条件比较宽松，主要体现在以下几方面：①父母无特殊困难，有抚养能力的也可以送养其子女。②无配偶的男性收养女性的，不受收养人与被收养人须相差四十周岁的限制。③被收养人可以为十四周岁以上的未成年人。此外，收养法对于华侨收养三代以内同辈旁系血亲的规定更为宽松，除了不受上面所列举的三项条件的限制外，还不受收养人须无子女的限制，即作为收养人的华侨即使有子女，且不止一个子女，也可以作为收养人。(7)继父母收养继子女的规定。由于继子女和继父母很多情况下是在一起共同生活的，关系十分紧密，而通过收养关系的确立，可以使亲子关系单一化，有助于稳定家庭关系，为继子女的成长提供一个更为健康的生活环境。因此，对于继父母收养继子女的情况，收养法明确可以不受以下条件的限制：①继子女的生父母无特殊困难，有抚养能力的也可以送养。②继子女可以为十四周岁以上的未成年人。③继父母可以有子女。④继父母可以不满三十周岁。⑤继父母患有医学上认为不应当收养子女的疾病的不影响其收养继子女。⑥继父母可以收养两个以上的继子女。收养法修改之前，曾限制继父母只能收养一名继子女，但现实中经常会出现继子女不止一个的情况，为了尊重当事人的意愿，促进家庭的和睦，修改后的收养法放宽了条件，允许继父母收养一个以上的继子女。(二)被收养人的条件。(1)不满十四周岁的未成年人。对被收养人的年龄进行限制，其目的是为了便于被收养人与收养人之间建立起亲子关系，以保障收养关系的稳定和发展。(2)孤儿、查找不到生父母的弃婴和儿童。由于年满十周岁以上的未成年人属于限制民事行为能力人，具备了一定判断事物的能力，因此，收养年满十周岁以上的未成年人的，应当征求被收养人的意见，由其自己判断是否愿意和他人建立起父母子女关系。（三）送养人的条件。(1)孤儿的监护人。被收养人的父母死亡或均不具备完全民事行为能力时，其监护人可以作为送养人。根据我国民法通则的规定，孤儿或父母不具备完全民事行为能力的未成年人的监护人主要包括：孤儿的祖父母、外祖父母、兄、姐等近亲属以及与孤儿的父母亲关系密切的近亲属或者朋友。监护人送养孤儿的，须征得有抚养义务人的同意。有抚养义务的人不同意送养的，监护人不愿意继续履行监护职责的，应当依照我国民法通则的有关规定变更监护权。对于父母不具备完全民事行为能力的未成年人，考虑到其父母不能准确地表达自己的真实意思，未成年人又缺乏自我保护意识，因此，收养法明确规定，在这样的情况下，监护人不得将其监护的未成年人送养。同时，为了确实保护未成年人的合法利益不受侵犯，为其成长提供一个健康的空间，又作出了一项例外规定，即未成年人的父母对该未成年人有严重危害可能的情况下，比如，对该未成年人进行殴打、虐待等行为，使未成年人的健康和生命受到严重威胁的情况下，监护人可以不经其父母的同意将该未成年人送养。(2)社会福利机构。根据我国未成年人保护法的有关规定，我国社会福利院主要收容和抚养以下未成年人：①被遗弃的婴幼儿；②公安部门暂时无法查找其生父母或监护人的婴幼儿；③父母双亡，其他监护人又无力抚养的孤儿。因此，在收养人自愿收养社会福利院生活的孤儿、弃婴、残疾儿童时，只能由社会福利机构作为送养人。(3)有特殊困难无力抚养子女的生父母。抚养子女是法律明确规定父母应尽的义务，但是现实中可能由于天灾、人祸或者经济状况等原因，致使有的父母无法对自己的子女进行抚养。比如，有一母亲在其丈夫去世后独自带着两岁的女儿生活，但该母亲在一场车祸中不幸下肢瘫痪，生活无法自理。在这种情况下，为了其女儿更好地成长，应当允许该母亲将其女儿送养。因此，有特殊困难无力抚养子女的生父母也是可以作为送养人的。

二、建立收养关系的程序

收养是一种民事行为，除了当事人应当具备法律所要求的条件外，还应当符合法律所要求的形式要件，履行法定的收养程序，使收养关系得以成立。我国收养法在修改之前对于收养关系设定了三种不同的程序：首先，对于中国公民收养弃婴和社会福利院抚养的孤儿的，应当向民政部门办理有关的登记手续；其次，中国公民收养弃婴和社会福利院以外的未成年人，由收养人和被收养人订立书面协议；此外，外国人在我国收养子女的，除了应当与被收养人的监护人订立书面协议并亲自到民政部门办理登记外，还需要到公证机构办理收养公证，收养关系自公证证明之日起成立。以上对建立收养关系程序的不同规定，致使实践出现了一些混乱，公民之间协议成立收养关系随意性比较大，造成收养关系的不稳定，不利于保护被收养人的合法利益。对于涉外收养规定了"登记"并"公证"的双重程序，不仅使涉外收养程序过于繁琐，而且也引发了一些不必要的矛盾。在修改收养法时考虑到收养是一种重要的民事法律行为，收养关系的成立将直接导致收养人、被收养人人身和财产关系发生重大变化，对于这种重要的民事行为应当从有利于各方面当事人利益出发来确定其成立的程序，所以，现行收养法对收养的程序作出了统一的规定，采取了以办理收养登记为主的原则，根据收养法第十五条的规定，收养应当向县级以上人民政府民政部门登记，收养关系自登记之日起成立。同时，为了适应一些收养关系当事人的意愿和要求，新收养法还扩大了收养协议和办理公证的范围，明确收养关系当事人愿意订立收养协议的，可以订立收养协议。收养关系当事人各方或者一方要求办理收养公证的，应当办理公证。此外，为了严格规范收养弃婴的行为，防止借收养名义规避计划生育法律法规的行为，对于收养查找不到生父母的弃婴和儿童，民政部门应当在办理收养前予以公告。

三、收养的效力

收养的效力是指因收养行为所导致的法律后果。主要有以下几方面:(一) 养父母以及近亲属与养子女之间产生拟制的直系血亲关系。根据收养法第二十三条的规定,自收养关系成立之日起,养父母与养子女的权利和义务关系,适用法律关于父母子女关系的规定,即收养人与被收养人之间形成法律拟制的直系血亲关系,养子女从此取得了与婚生子女完全相同的法律地位。根据我国婚姻法、收养法、继承法等有关法律的规定,养子女和养父母之间的权利和义务主要有:(1)养父母有抚养教育子女的义务,养子女有对父母赡养的义务;(2)养子女可以随父姓,也可以随母姓,经当事人协商一致,也可以保留原姓;(3)养父母有管教和保护未成年养子女的权利和义务;(4)养子女和养父母互为第一顺序的继承人。此外,养子女与养父母的近亲属之间也产生法律拟制的近亲属的关系,即子女与祖父母、外祖父母、孙子女、外孙子女、兄弟、姐妹之间的权利和义务同样对养子女也适用。比如,养子女与养祖父关系形成后,养子女即可以与其他兄弟姐妹一样,作为第二顺序的法定继承人,继承养祖父的财产。(二) 养子女与生父母以及近亲属间的权利和义务关系消除。正如本条第二款的规定,随着养子女与养父母之间建立起拟制血亲关系,养子女与生父母及其他近亲属之间的权利和义务关系即行消除,也就是说,收养关系的建立,不仅使养子女与生父母之间的父母子女关系消除,而且其效力涉及养子女与其祖父母、外祖父母及兄弟姐妹关系的消除。之所以这样规定,主要是为了稳定收养关系,有利于养子女在新的生活环境中与养父母及其近亲属建立起和睦和亲密的家庭关系,也使各方当事人法律上的权利和义务更为明确。

四、收养关系的解除

收养关系的解除是指依法终止原有的亲属关系以及权利义务关系。收养解除的效力不仅及于养子女与养父母,而且也及于养子女与生父母以外的其他近亲属。根据收养法的规定,有以下情况之一的，当事人可以解除收养关系：(一)收养人、送养人双方协议解除收养关系的。(二)收养人不履行抚养义务，虐待、遗弃等侵犯未成年养子女合法权益行为的。(三)养父母与成年养子女关系恶化，无法共同生活的。解除收养关系时，当事人应当到民政部门办理解除收养关系的登记。收养关系解除后，养子女与养父母及其他近亲属的权利和义务关系即行消除，与生父母及其他近亲属间的权利和义务关系自行恢复，但成年养子女与生父母及其他近亲属间的权利和义务关系是否恢复，当事人可以协商确定。收养关系解除后，经养父母抚养的成年养子女，对丧失劳动能力又无生活来源的养父母，应当给付生活费。因养子女成年后虐待、遗弃养父母而解除收养关系的，养父母可以要求养子女补偿收养期间支出的生活费和教育费。

第二十七条　继父母与继子女间，不得虐待或歧视。

继父或继母和受其抚养教育的继子女间的权利和义务，适用本法对父母子女关系的有关规定。

【释义】　本条是对继父母与继子女权利义务的规定。

继子女通常是指夫或妻一方与前配偶所生的子女；继父母是指子女母亲或者父亲再婚的配偶。继父母和继子女的关系是由于生父母一方死亡，另一方带子女再婚后形成的。在通常情况下，继父母与继子女之间的关系属于姻亲范围，如果继父母与继子女形成抚养关系，或者继父母将继子女收养为养子女，他们才形成法律拟制直系血亲关系。

在现实中继父母与继子女的关系主要有三种类型：一种是纯粹的直系姻亲关系。指生父或生母与继母或继父再婚时，继子女已经独立生活，或者继子女虽未成年但是由其生父母抚养，继父母没有尽抚养的义务，继子女也没有对继父母尽到赡养的义务。二是形成收养关系。继父或继母经继子女的生父同意，正式办理了收养手续,将继子女收养为养子女。随着收养关系的确立,该子女与其共同的生父或生母之间的关系仍为直系血亲,而与不在一起共同生活的生父或生母一方的父母子女关系随之消灭。三是形成双重的权利和义务关系。即生父(母)与继母(父)再婚时,继子女尚未成年,他们随生父母一方与继父或者继母共同生活时,继父或继母对其承担了部分或者全部抚养义务;或者成年继子女事实上对继父母长期承担了赡养义务,形成了赡养关系。这些继子女和继父母实际上形成了收养和继养双重的权利和义务关系。关于继子女的问题,国外大多数国家都鼓励继父母收养继子女,并通过这种转化来调整继子女和继父母的法律关系。

我国法律对继子女权利一直给予了足够的重视。1950 年,我国婚姻法第十六条曾规定,夫对于妻所抚养的与前夫所生的子女或妻对其夫所抚养的与前妻所生的子女,不得虐待和歧视。该条虽然没有使用"继子女"的概念,但在立法中第一次确定继子女的法律地位。1980 年的婚姻法明确规定了继父母继子女的权利和义务,并且规定继父母和继子女之间不得虐待和歧视,继父或继母和受其抚养教育的继子女间的权利义务,适用法律中父母子女关系的有关规定。多年的实践证明,我国法律中有关继父母继子女的规定是行之有效的,所以,这次修改婚姻法时没有对 1980 年婚姻法中有关继父母和继子女的规定作出改动。

我国婚姻法有关继父母继子女的规定,主要有以下几层含义:

一、继父母和继子女之间不能相互虐待和歧视

由于我国长期处于封建社会,所以,继子女的社会地位一直很低下,他们受到家庭和社会的虐待和歧视的情况比比皆是。虽然新中国成立以来,对继子女权利的保护有了充分的法律依据,但封建残余思想仍影响着一些人的头脑。有的继父母不仅在生活上不给继子女提供应有的保障,而且还以种种理由剥夺了继子女受教育的权利;有的继父母对继子女采取打骂、体罚等手段从各方面来

折磨和摧残继子女。而反过来,继子女长大后或者一些成年的继子女,出于报复等心理又对继父母进行打骂和虐待,使一些继父母晚年的生活极为不幸,得不到继子女的赡养。因此,目前一方面仍应当加大对继子女的保护力度,使他们不能因为父母婚姻状况的改变而受到不公正的待遇,另一方面也应当重视对继父母权利的保护,保障他们能老有所养。继父母和继子女之间不能相互虐待和歧视的条款,不仅适用于因生父母与继父母结婚而形成的单纯的姻亲关系,而且也包括已形成抚养关系的继父母与继子女。

二、继父或继母和受其抚养教育的继子女之间的权利和义务,适用婚姻法父母子女关系的有关规定

本款主要是指继父母与接受其抚养教育的继子女间事实上形成了抚养关系,即产生类似于拟制血亲关系的情况。但这种拟制血亲关系又和继父母收养继子女有所不同,它不以解除继子女与其生父母间的权利和义务关系为前提。根据本条的规定,继父或继母和受其抚养的继子女间的权利和义务,适用婚姻法对父母子女关系的有关规定,主要包括以下几层含义:(一)继父母对继子女有抚养和教育的义务。继父母不仅要保证继子女的生活所需,而且要保证继子女能接受正常的教育。对于不履行抚养义务的继父母,未成年的继子女或不能独立生活的继子女,有要求给付抚养费的权利。(二)继子女对继父母有赡养和扶助的义务。在通常情况下,受继父母抚养成人并独立生活的继子女,应当承担赡养继父母的义务。继子女不履行赡养义务时,无劳动能力的或生活困难的继父母,有要求继子女支付赡养费的权利。(三)继父母和继子女之间有相互继承财产的权利。我国继承法第十条规定,遗产按照下列顺序继承:第一顺序:配偶、子女、父母;第二顺序:兄弟姐妹、祖父母、外祖父母。…… 本法所说的子女,包括有婚生子女、非婚生子女、养子女和有抚养关系的继子女。本法所说的父母,包括生父母、养父母和有抚养关系的继父母。我国最高人民法院也

曾在1985年《关于贯彻执行〈中华人民共和国继承法〉若干问题的意见》中规定，继子女继承继父母遗产的，不影响其继承生父母的遗产。继父母继承继子女遗产的，不影响其继承生子女的遗产。同时该意见还对已形成抚养关系的继子女的生子女或养子女作出了可以代位继承的规定。（四）继父母有教育保护未成年继子女的权利和义务。在未成年继子女对国家、集体或者他人造成损害时，继父母应当承担相应的民事责任。

那么，已形成抚养关系的继父母与继子女之间关系能否解除？婚姻法对此问题没有明确规定，但在司法实践中一般是按照以下原则来处理的：首先，在生父母与继父母的婚姻存续期间，对于尚未成年的继子女与继父母的关系，原则上不能解除。其次，如果继子女已经成年，并与继父母的关系恶化，经当事人请求，人民法院可以解除他们之间的权利和义务关系，但是对于已丧失劳动能力、生活困难的继父母，继子女仍有义务承担其生活费用。某法院曾处理过一起要求解除继母子权利义务关系的案件。原告赵某与被告张某之父1978年结婚，当时被告仅五岁，即随其父与原告共同生活，但被告结婚后经常辱骂、殴打原告，致使双方关系恶化。原告在与被告之父婚姻关系存在的情况下，向人民法院起诉要求解除与被告的继子女关系，并要求被告偿付为其支付的生活费和教育费。人民法院在审理该案时认为，基于原被告双方已形成抚养事实，他们之间既存在姻亲关系，也存在抚养关系，被告和原告之间已形成的权利和义务关系不能自然终止，因此，原告诉请法院实质上是解除与被告已形成的权利和义务关系，而非纯姻亲关系。此案后经人民法院调解，原、被告继续维持继母子之间的权利和义务关系。此外，生父母与继父母离婚的，可以解除已形成的抚养关系。我国最高人民法院1993年《关于人民法院审理离婚案件处理子女抚养问题的若干具体意见》中规定，生父与继母或生母与继父离婚时，对受其抚养教育的继子女，继父与继母不同意继续抚养的，仍应由生父母抚养。

在婚姻法修改过程中，有的专家提出，现实中继父母对继子女抚养的情况十分复杂，有的情况并非出于继父母和子女的意愿。而我国婚姻法仅以继父母继子女形成抚养关系的事实为根据，认为继父母和继子女之间存在扶养的事实就认定建立起了亲子关系，忽视了当事人的意愿。其次，继父母和继子女是否形成了抚养关系没有一个统一的标准，容易产生纠纷。所以，有的专家提出，只有继父母将继子女收为养子女，建立正式的收养关系，消除与亲生父母之间的权利和义务的，他们之间才按照婚生子女对待，没有形成收养关系的，不能因为继父母对继子女进行了抚养就适用父母子女间的权利和义务关系。但是后来考虑到建立收养关系必须得到继父母和生父母以及十岁以上儿童的同意，而现实中这三方当事人很难协商一致建立起收养关系。同时，我国法律对继子女的规定已经延续了很久，大家对这种规定已经适应，现实中也是按此规定来认定继父母和继子女之间的权利和义务的，所以不宜改动。此外，还有一种意见认为，收养关系成立五年以上的，才适用父母子女关系。后来考虑到现实中收养的情况比较复杂，有的收养关系的建立虽未到五年，但这几年对继子女的成长和接受教育是非常重要的时期，所以，不宜以时间的长短做“一刀切”的规定。因此，这次修改婚姻法维持了目前继父母和继子女的制度，对以上问题没有作出修改。

第二十八条　有负担能力的祖父母、外祖父母，对于父母已经死亡或父母无力抚养的未成年的孙子女、外孙子女，有抚养的义务。有负担能力的孙子女、外孙子女，对于子女已经死亡或子女无力赡养的祖父母、外祖父母，有赡养的义务。

【释义】　本条是对祖父母、外祖父母与孙子女、外孙子女之间权利和义务的规定。

这次修改婚姻法对隔代抚养和赡养的规定进行了补充和完善。

祖父母、外祖父母与孙子女和外孙子女是隔代的直系血亲关系，他们之间在具备法律条件的情况下，可以形成抚养和赡养关系。德国、日本、瑞士等国家的法律对祖孙之间的抚养和赡养义务都作了规定，而且既没有区分父系亲还是母系亲，也没有区分孙辈为男性或者女性。就我国目前情况看，虽然三代同居家庭的数量在逐步减少，但由于我国人口基数较大，所以三代同居的家庭仍占着不小的比例。随着经济的发展，人的寿命在普遍延长，人口的老龄化已成为一个不容忽视的社会性问题。由于我国的社会保障体系正在建立和完善，靠社会的力量还远远不能承担对老年人的扶养。同样，对于父母已经死亡或者无力抚养的孙子女、外孙子女，社会福利院等机构也没有能力完全承担起抚养的义务。因此，隔代扶养可以说是我国在相当长的时间内将面临的一个问题，扶老育幼不仅是我们中华民族需要发扬光大的优良传统，而且也需要法律对此问题作出明确的规定。根据本条的规定，祖孙之间抚养或赡养关系的形成应当具备以下条件：

一、被抚养或赡养人的父母或子女死亡或者无抚养或赡养能力

主要是包括两种情况：（一）子女在未成年时父母双亡，或者父母丧失抚养能力；（二）子女在成年后死亡或者丧失扶养能力，无法赡养其父母。在第一种情况下，需要被抚养人的祖父母和外祖父母来承担抚养的义务；第二种情况则需要孙子女和外孙子女来承担赡养的义务。1976年我国唐山发生了一起大地震，许多家庭都失去了亲人，出现了不少爷爷抚养孙子，孙女赡养奶奶等隔代抚养和赡养的情况。婚姻法修改之前，本条的规定仅限于“父母已经死亡”或者“子女已经死亡”的情况，这次修改婚姻法对此问题进行了调整，增加了“父母无力抚养”和“子女无力赡养”的规

定,更加全面地涵盖和规范了现实中存在的隔代抚养和赡养的情况。

二、被抚养或赡养人确实有困难需要被抚养或赡养

祖孙之间扶养关系的形成必须建立在一方确实有困难的基础上,如果被扶养人有一定的经济收入或经济来源,完全能负担自身的生活所需,那么,就不能要求祖父母、外祖父母或者孙子女、外孙子女来承担其抚养或赡养义务。当然,作为一个文明古国,我国有着尊老爱幼的优良传统,如果祖孙之间完全基于亲情,在对方没有困难情况下仍愿承担一定的抚养或赡养义务,那么是一种值得发扬和提倡的美德。

三、承担抚养或赡养义务的人有一定的抚养或者赡养能力

如果具有法律意义上的抚养义务人没有一定的抚养能力,那么就不能再要求其承担相应的法律责任。比如,一个八岁的女孩,其父母在一场车祸中丧生,只有一个奶奶在世,奶奶没有工作,一直靠社会福利金生活,那么,在这种情况下就不能要求女孩的奶奶承担抚养其孙女的义务。此外,如果被抚养人或赡养人有多个人时,比如,被赡养人既有孙子又有外孙女,那么需要当事人协商决定其应当承担的义务。同样,如果抚养或赡养权利人有多个人时,在抚养或赡养义务人的经济能力不足以承担全部抚养或赡养义务时,那么,对于经济状况和身体状况最差者应当优先扶养。

关于抚养或赡养的方式,我国婚姻法对此没有作出专门规定,只规定对不履行抚养或赡养义务的人,权利人有要求其履行义务的权利。实践中抚养或赡养的方式主要有以下两种,当事人可以根据自身的情况来选择:一是共同生活抚养或赡养,即被抚养或赡养人与抚养或赡养义务人共同居住在一起,进行直接的抚养或赡养;二是通过给付抚养或赡养费、探视、扶助等方式完成扶养义务。

抚养或赡养义务人在履行抚养或赡养义务时,往往需要和被抚养或赡养人就抚养或赡养义务的程序、抚养或赡养的具体方式

等内容进行协商,达成对当事人均具有约束力的抚养或赡养协议。如果当事人之间达不成协议,那么,可以请求人民法院通过判决来确定权利和义务。

抚养或赡养协议达成后或者人民法院的判决生效后,当事人的经济和生活状况往往会出现一些新的变化,如果仍然要求当事人按照原有的抚养或赡养协议或者判决来执行,可能会使一方当事人利益受到损害,因此,当事人需要通过一定的途径来变更抚养或赡养权。所谓变更抚养或赡养权是指抚养或赡养义务人、抚养或赡养权利人以及抚养或赡养程序和方法的变更。在抚养或赡养当事人一方或双方在经济和生活状况发生变化时,抚养或赡养权利人和抚养或赡养义务人都有权要求变更原抚养或赡养协议或者有关抚养或赡养的判决。当事人首先可以在自愿、平等的基础上进行协商,协商不成时,可以向人民法院起诉,来重新确定双方的权利和义务。

第二十九条　有负担能力的兄、姐,对于父母已经死亡或父母无力抚养的未成年的弟、妹,有扶养的义务。由兄、姐扶养长大的有负担能力的弟、妹,对于缺乏劳动能力又缺乏生活来源的兄、姐,有扶养的义务。

【释义】 本条是关于兄弟姐妹间扶养的规定。

这次修改婚姻法,对兄弟姐妹间的扶养关系作了补充规定。

一、兄弟姐妹间的扶养关系在法律规定上的发展变化

我国1950年婚姻法没有对兄弟姐妹间的扶养关系作出规定,但在实际生活中,兄、姐扶养教育弟、妹却是常见的现象。1980年的婚姻法,结合我国家庭成员间关系较为密切的实际,从爱小育幼的社会主义家庭关系的角度出发,将兄、姐在特定条件和特定情况下扶养弟、妹的内容纳入了法律的调整范围。1980年婚姻法第二十三条规定:“有负担能力的兄、姐,对于父母已经死亡或父母无

力抚养的未成年的弟、妹,有抚养的义务。”使有负担能力的兄、姐,对于父母已经死亡或父母无力抚养的未成年的弟、妹的扶养成为一项法定义务。此后,1984 年最高人民法院《关于贯彻执行民事政策法律若干问题的意见》第二十六条作出解释:“由兄、姐抚养长大的有负担能力的弟、妹,对丧失劳动能力、孤独无依的兄、姐,有扶养的义务。”根据这一司法解释,由兄、姐抚养长大的有负担能力的弟、妹,与丧失劳动能力、孤独无依的兄、姐间也产生了有条件的扶养义务。

在这次修改婚姻法时,将弟、妹在特定条件和特定情况下负有扶养兄、姐的义务上升为法律内容,取得了各方面广泛的共识。有的常委委员在婚姻法审议中说,在现实生活中,许多兄、姐在扶养弟、妹时,节衣缩食、倾囊而助、全力以赴,有的甚至牺牲了个人的婚姻。而不少弟、妹长大后,生活很好了,对其兄、姐却没有回报的意识。按照权利义务对等原则,弟、妹理应回报尽了扶养义务的兄、姐。扶养不仅是物质方面的,也包括精神上的安慰和生活上的照顾。不要造成“兄姐照管弟妹小,弟妹不管兄姐老”的后果。

修改后的婚姻法把在实际生活中和司法实践中认为是可行的做法以法律形式加以规范,补充规定:“由兄、姐扶养长大的有负担能力的弟、妹,对于缺乏劳动能力又缺乏生活来源的兄、姐,有扶养的义务。”这一规定肯定了尊老爱幼的社会主义家庭关系,符合我国历来近亲属关系密切、相互扶助的传统道德,体现了权利义务相一致的法律精神,使得未成年人能够健康成长,老年人生活有所保障。

二、形成兄弟姐妹间扶养义务的条件

(一)负有扶养义务的兄弟姐妹的范围

兄弟姐妹包括同胞兄弟姐妹、同父异母或同母异父兄弟姐妹、养兄弟姐妹和继兄弟姐妹。在一般情况下,兄弟姐妹应由他们的父母抚养,因而他们相互之间不发生扶养与被扶养的权利义务关系。但是在特定条件和特定情况下，兄、姐与弟、妹之间会产生有条件的扶养义务。当然，法律对兄弟姐妹间扶养义务的规定，主要是从同胞兄弟姐妹之间的关系来确定的，因为他们是血缘关系最密切的同辈旁系血亲。对于半血缘的同父异母或者同母异父兄弟姐妹，以及没有血缘关系的养兄弟姐妹和继兄弟姐妹，如果符合法律规定的条件和情形，其相互之间也将产生扶养与被扶养的权利义务关系。

（二）兄弟姐妹形成扶养义务的条件

兄、姐扶养弟、妹，或弟、妹扶养兄、姐不是必然发生的法定义务，而是有条件的。简而言之，就是应尽抚养或赡养义务的父母、子女或者配偶不能尽其抚养或赡养义务时，由有能力的兄弟姐妹来承担扶养义务。兄弟姐妹间的扶养义务是第二顺序的，具有递补性质。但兄弟姐妹间一旦形成扶养义务，那么该义务又是不可推卸的法定义务，义务人应当自觉履行。

1. 兄、姐扶养弟、妹需具备的条件

产生兄、姐对弟、妹的扶养义务，应当同时具备下述三个条件：

第一，弟、妹须为未成年人，即不满十八周岁。如果弟、妹已经成年，虽无独立生活能力，兄、姐亦无法定扶养义务。

第二，父母已经死亡或者父母无力抚养。这里包含了两种情况：一是父母均已经死亡，没有了父母这第一顺序的抚养义务人。如果父母一方尚在且有抚养能力，仍应由尚在的父或母承担抚养义务。二是父母均尚在或一方尚在但没有抚养能力，比如父母在意外事故中致残没有了劳动能力和生活来源，便产生了由有负担能力的兄、姐扶养弟、妹的义务。

第三，兄、姐有负担能力。在前述两项条件具备时，兄、姐对弟、妹的扶养义务并不必然发生，只有这项条件也具备时，即兄、姐有负担能力时，才产生扶养弟、妹的义务。

2. 弟、妹扶养兄、姐需具备的条件

产生弟、妹对兄、姐的扶养义务，亦应当具备下述三个条件：

第一，兄、姐缺乏劳动能力又缺乏生活来源。如果兄、姐虽缺乏劳动能力但并不缺少经济来源，比如受到他人经济上的捐助或自己有可供生活的积蓄的，则不产生弟、妹的扶养义务。同时，如果兄、姐虽缺少生活来源，但有劳动能力，兄、姐可通过自己的劳动换取生活来源，在此情况下，弟、妹亦无扶养兄、姐的义务。需要说明的是，婚姻法确立的这一条件与1984年最高人民法院的司法解释确定的条件有所差异。该司法解释规定的是兄、姐“丧失劳动能力、孤独无依”，婚姻法规定的是“缺乏劳动能力又缺乏生活来源”。首先，“缺乏劳动能力”比“丧失劳动能力”的范围要宽，这使兄、姐更容易获得被扶养的机会。其次，缺乏生活来源比孤独无依涵盖面更大。比如兄、姐的配偶尚在，很难说是“孤独无依”，而“缺乏生活来源”使得兄、姐的配偶尚在但缺少生活来源时，也能得到弟、妹的扶养。

第二，兄、姐没有第一顺序的扶养义务人，或第一顺序的扶养义务人没有扶养能力。比如兄、姐没有配偶、子女，或兄、姐的配偶、子女已经死亡或配偶、子女没有扶养能力。如果兄、姐的配偶尚在或有子女且有扶养能力，应由这些第一顺序的扶养义务人承担扶养义务。

第三，弟、妹由兄、姐扶养长大且有负担能力。这里包含两方面的因素：一是弟、妹是由兄、姐扶养长大的。这表明在弟、妹未成年时，父母已经死亡或父母无抚养能力，兄、姐对弟、妹的成长尽了扶养义务。按照权利义务对等原则，弟、妹应承担兄、姐的扶养责任。二是弟、妹有负担能力。若无负担能力则不负扶养义务。

第三十条　子女应当尊重父母的婚姻权利，不得干涉父母再婚以及婚后的生活。子女对父母的赡养义务，不因父母的婚姻关系变化而终止。

【释义】 本条是关于保障老年人婚姻权利的规定。

这条规定是这次修改婚姻法新增加的内容。

一、保障老年人的婚姻自由是婚姻法的应有之义

婚姻法第二条规定的“婚姻自由”是我国婚姻制度中的首要内容。婚姻自由既包含了年轻人的结婚自由,也包括老年人的再婚自由,这一内涵本来是不言而喻的。然而现实生活中反映出的突出问题是,丧偶或者离异的老人不在少数,而老年人再婚是障碍多、麻烦大、难上难。因此需要在这次修改婚姻法时,作出有针对性的规定,进一步使“婚姻自由”在老年人婚姻问题上有具体的体现,以达到保障老年人再婚自由的目的。

现实生活中阻碍老年人再婚有以下三大障碍:

第一是世俗偏见的禁锢。一些人认为,老年人再婚是“老不正经”“有伤风化”。这种偏见使老年人备受压抑,动摇了老年人再婚的想法。

第二是老年人自身固有观念的束缚。有的老年人觉得自己再婚会低人一等,让人瞧不起。还有的老人受“终身守节”“一女不二嫁”等封建残余的影响,放弃了再婚的念头。

第三是子女干涉。一些年轻人认为,父母再婚“有辱门风”,自己脸上无光;父母积攒的财产也会流落外人手里。因此为了自己的名声和财产利益,百般阻挠,想尽办法干涉父母的再婚自由,甚至用侮辱、威胁或者施以暴力来达到阻止父母再婚的目的。

由此可见,从法律上有针对性地强调保护老年人的婚姻自由,特别是再婚自由就显得尤为重要。在老年人再婚的问题上,除了消除世俗偏见,打消老年人自身不正确的固有观念这些无形的枷锁外,更重要的是防止子女对父母婚姻自由的阻挠和干涉,还老年人再婚自由的空间。对于老年人来说,仅有“老有所养”是不够的,还应该“老有所伴”“老有所慰”。让再婚老人相互关怀照顾,共度幸福晚年,对国家、社会和家庭都有利。老年人再婚,应得到

社会的认可和关注，得到子女的理解和支持。给老年人一个金色的晚年，这也是社会文明进步的需要和体现。

二、保障老年人婚姻自由的基本内涵

在对婚姻法修正案的审议和征求意见过程中，对增加一条保障老年人婚姻自由的规定，各方面有着一致的、肯定的意见，特别是得到了老年人的拥护。婚姻法第三十条规定："子女应当尊重父母的婚姻权利，不得干涉父母再婚以及婚后的生活。子女对父母的赡养义务，不因父母的婚姻关系变化而终止。"从这条规定来看，主要强调了两个方面的内容：

第一是老年人的婚姻自由受法律保护，子女应当尊重父母的婚姻权利，包括离婚和再婚的自主权利，尤其是不得因一己私利和世俗偏见阻挠干涉父母再婚。父母是否再婚，与谁结婚应由其自主决定。父母再婚后，子女不得干涉父母婚后的生活，比如子女不得干涉父母选择居所或者依法处分个人财产。

第二是子女对父母的赡养义务，不因父母的婚姻关系变化而终止。婚姻法第二十一条规定，子女对父母有赡养扶助的义务。包括对老年人经济上的供养、生活上的照料和精神上的慰藉义务，并应当照顾老年人的特殊需要。比如提供生活费或实物、体力上给予帮助和精神上予以尊敬、关怀等，对患病的老年人还应当提供医疗费用和进行护理。子女对父母的赡养义务是无期限的，只要父母需要赡养，子女就应当履行这一义务。父母婚姻关系的变化不导致子女赡养义务的解除，子女不能因父母再婚而对父母不闻不问，相互推诿，不尽赡养义务。在有赡养能力的子女不履行赡养义务时，没有劳动能力或生活困难的父母，有要求子女给付赡养费的权利。父母可以直接向子女索要赡养费，也可以请求有关组织，如子女所在单位、居民委员会、村民委员会调解，还可以直接向人民法院起诉要求给付赡养费。

三、暴力干涉老年人婚姻和拒绝赡养老人的刑事责任老年人权益保障法第四十七条规定："暴力干涉老年人婚姻自由或者对老年人负有赡养义务、扶养义务而拒绝赡养、扶养，情节严重构成犯罪的，依法追究刑事责任。"暴力干涉婚姻自由有极大的危害性，因此我国刑法第二百五十七条规定："以暴力干涉他人婚姻自由的，处二年以下有期徒刑或者拘役。犯前款罪，致使被害人死亡的，处二年以上七年以下有期徒刑。"拒绝赡养老人也为国法所不容，刑法第二百六十一条规定："对于年老、年幼、患病或者其他没有独立生活能力的人，负有扶养义务而拒绝扶养，情节恶劣的，处五年以下有期徒刑、拘役或者管制。"婚姻法、老年人权益保障法和刑法的规定给老年人的婚姻自由和婚后生活提供了法律保障。

第四章　离　　婚

第三十一条　男女双方自愿离婚的，准予离婚。双方必须到婚姻登记机关申请离婚。婚姻登记机关查明双方确实是自愿并对子女和财产问题已有适当处理时，发给离婚证。

【释义】　本条是关于协议离婚的规定。

这次修改婚姻法未对本条作实质性修改。

一、协议离婚制度的含义和意义

我国的离婚制度，分为协议离婚和诉讼离婚两种。由于婚姻关系当事人对离婚所持的态度不同，在处理程序上也不大相同。

协议离婚也叫"双方自愿离婚"，是指婚姻关系当事人达成离婚合意并通过婚姻登记程序解除婚姻关系的法律制度。其主要特征，一是当事人双方在离婚以及子女和财产问题上意愿一致，达成协议；二是按照婚姻登记程序办理离婚登记，取得离婚证，即解除婚姻关系。

协议离婚制度，是我国离婚制度的重要组成部分。这项制度在五十年的实践中，由于它充分尊重当事人的意愿，且程序简便，因此为婚姻关系当事人充分接受。与此同时，婚姻登记机关也积累了丰富的经验，在制度上日趋完善。随着我国婚姻家庭法制的不断健全，当事人采用协议方式，通过非讼程序解决离婚问题，已被越来越多的当事人作为首先考虑的途径。

从法律上确立协议离婚制度有以下重要意义：

第一，协议离婚制度注重婚姻双方当事人的主观意愿，实行协议离婚制度是婚姻自由原则的重要体现。我国法律赋予并保障公民自主自愿地处理个人婚姻问题的权利。男女双方有自主自愿地缔结婚姻的自由,同时,在婚姻当事人双方一致同意解除婚姻关系的时候,也赋予了他们解除婚姻关系的自由并为其提供了程序上的保障。

第二,实行协议离婚,有利于在婚姻关系已经无法继续维持的情况下,由夫妻双方心平气和地解决矛盾冲突,避免互相指责,消除对立情绪,更可以减少日后双方的仇视和对立。

第三,这种离婚方式不究问离婚的原因和具体理由,有利于保护个人隐私。

第四,协议离婚不仅要求双方离婚的合意,而且要求对子女的抚养教育、财产的分割和债务的清偿等作出妥善安排,这样有利于维护当事人双方、子女和第三人的合法权益。

二、协议离婚的条件

(一)当事人须为合法夫妻并且具有完全民事行为能力

1. 协议离婚的当事人双方应当具有合法夫妻身份。以协议离婚方式办理离婚的,仅限于依法办理了结婚登记的婚姻关系当事人。不包括未婚同居和有配偶者与他人非法同居的男女双方,也不包括未办理结婚登记的“事实婚姻”中的男女双方。根据《婚姻登记管理条例》第十八条的规定,未办理过结婚登记的男女申请离婚登记的,婚姻登记管理机关不予受理。其间发生的有关身份关系的纠纷,以及涉及子女、财产问题的争议,可以诉请人民法院处理。

2. 协议离婚的当事人双方均应当具有完全的民事行为能力。只有完全民事行为能力人才能独立自主地处理自己的婚姻问题。一方或者双方当事人为限制民事行为能力或者无民事行为能力的,即精神病患者、痴呆症患者,不适用协议离婚程序,只能适用诉讼程序处理离婚问题,以维护没有完全民事行为能力当事人的合法权益。

（二）协议离婚当事人双方必须具有离婚的共同意愿

"双方自愿"是协议离婚的基本条件，协议离婚的当事人应当有一致的离婚意愿。这一意愿必须是真实而非虚假的；必须是自主作出的而不是受对方或第三方欺诈、胁迫或因重大误解而形成的；必须是一致的而不是有分歧的。对于一方要求离婚的，婚姻登记管理机关不予受理，只能通过诉讼离婚解决争议。

（三）对子女和财产问题已有适当处理

"对子女和财产问题已有适当处理"是协议离婚的必要条件。如果婚姻关系当事人不能对离婚后的子女和财产问题达成一致意见、作出适当处理的话，则不能通过婚姻登记程序离婚，而只能通过诉讼程序离婚。

1. 对子女问题有适当处理，是指对双方离婚后有关子女抚养、教育、探望等问题，在有利于保护子女合法权益的原则下作了合理的、妥当的安排。包括子女由哪一方直接抚养，子女的抚养费和教育费如何负担、如何给付等等。由于父母与子女的关系不因父母离婚而消除，协议中还可以约定不直接抚育方对子女探望权利行使的内容，包括探望的方式、时间等。

2. 对财产问题有适当处理，主要包括：（1）在不侵害任何一方合法权益的前提下，对夫妻共同财产作合理分割，对给予生活困难的另一方以经济帮助作妥善安排，并切实解决好双方离婚后的住房问题；（2）在不侵害国家、集体和第三人利益的前提下，对共同债务的清偿作出负责的处理。

三、协议离婚的程序

按照现行《婚姻登记管理条例》的规定，有关协议离婚程序的主要内容如下：

（一）协议离婚的主管机关

协议离婚的主管机关是民政部门。具体的婚姻登记管理机关，在城市是街道办事处或者市辖区、不设区的市人民政府的民政部门,在农村是乡、民族乡、镇的人民政府。在婚姻登记管理机关中,由持有婚姻登记管理员证书的人员从事协议离婚的登记工作。

(二)协议离婚的具体程序

1. 当事人申请。离婚登记按地域进行管辖。当事人协议离婚的,应到一方户口所在地的婚姻登记管理机关申请离婚登记。

由于离婚是一种重要的身份法律行为,因此,当事人离婚,必须双方亲自到婚姻登记管理机关申请离婚登记,不得委托他人代为办理。申请时应持双方的结婚证、户口簿、居民身份证等证件和证明,以及离婚协议书。离婚协议书应当写明双方当事人的离婚意思表示以及关于子女抚养、夫妻一方生活困难的经济帮助、财产分割及债务处理等协议事项,并由双方当事人签字或者盖章。

2. 婚姻登记管理机关审查。婚姻登记管理机关应对当事人的离婚申请进行审查,查明当事人所携带的证明和证件是否齐全,当事人是否符合登记离婚的诸项条件。婚姻登记管理机关如查明仅为夫妻一方要求离婚,或者夫妻双方虽然都同意离婚,但在子女和财产等问题上未达成协议的,婚姻登记机关不予受理。

3. 离婚登记和发给离婚证。婚姻登记管理机关自受理离婚申请之日起一个月内,对符合离婚条件的,应当予以登记,发给离婚证,注销结婚证。离婚证是婚姻关系已经合法解除的具有法律效力的文件。当事人从取得离婚证之日起,解除婚姻关系。

经过审查,对不符合法定条件而不予登记的,婚姻登记管理机关应当以书面形式说明不予登记的理由。

四、对离婚登记后有关问题的处理

(一)对一方不履行离婚协议所确定的义务的处理

男女双方经婚姻登记管理机关办理了离婚登记后,当事人一方不按照离婚协议履行应尽的义务,或者在子女抚养、财产问题上发生纠纷的,当事人可以向人民法院提起民事诉讼。

(二)离婚证遗失或损毁的补救

如果离婚证遗失或者损毁,当事人可以持所在单位、居民委员会或者村民委员会出具的证明,向原办理离婚登记的婚姻登记管理机关申请出具解除夫妻关系证明书。解除夫妻关系证明书与离婚证具有同等法律效力。

(三)离婚登记的撤销及复议

根据《婚姻登记管理条例》的规定,申请婚姻登记的当事人弄虚作假、骗取婚姻登记的,婚姻登记管理机关应当撤销婚姻登记;对离婚的当事人宣布其解除婚姻关系无效并收回离婚证,并对当事人处以二百元以下的罚款。

当事人认为符合离婚登记条件而婚姻登记管理机关不予登记的,或者当事人对处罚不服的,可以依照行政复议法的规定申请复议;对复议决定不服的,可以依照行政诉讼法的规定向人民法院提起行政诉讼。

第三十二条　男女一方要求离婚的,可由有关部门进行调解或直接向人民法院提出离婚诉讼。

人民法院审理离婚案件,应当进行调解;如感情确已破裂,调解无效,应准予离婚。

有下列情形之一,调解无效的,应准予离婚:

(一)重婚或有配偶者与他人同居的;

(二)实施家庭暴力或虐待、遗弃家庭成员的;

(三)有赌博、吸毒等恶习屡教不改的;

(四)因感情不和分居满二年的;

(五)其他导致夫妻感情破裂的情形。

一方被宣告失踪,另一方提出离婚诉讼的,应准予离婚。

【释义】　本条是关于诉讼外调解和诉讼离婚的规定。

这次修改婚姻法,对本条作了补充完善,主要是增加规定了导致夫妻感情破裂的原因和表明夫妻感情不和的事由,以便于司法审判中更准确地适用婚姻法有关诉讼离婚条件的规定。这条规定的修改,并没有对1980年婚姻法规定的“如感情确已破裂,调解无效,应准予离婚”的内容作实质性修改。

一、诉讼外调解

诉讼外调解,其依据来源于本条规定的“男女一方要求离婚的,可由有关部门进行调解”。这种调解属于民间性质。“有关部门”在实践中一般是当事人所在单位、群众团体、基层调解组织等。由这些部门进行调解,符合当事人的非讼心理和社会生活中的传统习惯,易于当事人认可和接受。也由于调解人一般对当事人的情况比较了解,便于做好思想开导工作,缓解夫妻间的矛盾,有助于妥善、及时地化解离婚争议。

对于离婚纠纷,诉讼外调解并不是当事人要求离婚的必经程序,也不是诉讼前的必经程序。当事人可以直接向人民法院起诉,也可以在接受调解后随时退出调解。调解前不能“强拉硬拽”,调解中也不能“强加于人”。因此,经过调解可能会出现不同的结果:一种是双方的矛盾得到化解,重归于好,继续保持婚姻关系;第二种是双方都同意离婚,在子女和财产问题上也达成一致意见,采用协议离婚的方式,到婚姻登记管理机关办理离婚登记手续;再一种是调解不成,一方坚持离婚,另一方则坚持相反意见,或者虽都同意离婚,但对子女、财产问题达不成协议,而需诉诸法院解决。

二、诉讼离婚

(一)诉讼离婚的概念及特征

诉讼离婚,是婚姻当事人向人民法院提出离婚请求,由人民法院调解或判决而解除其婚姻关系的一项离婚制度。诉讼离婚制度,适用于当事人双方对离婚有分歧的情况,包括一方要求离婚而另一方不同意离婚而发生的离婚纠纷;或者双方虽然同意离婚,但在子女和财产问题上不能达成一致意见、作出适当处理的情况。

诉讼离婚制度有下述特征:

第一,诉讼离婚有着法定的必要条件,即“感情确已破裂,调解无效”。人民法院在审理案件中也必须执行法律规定的条件,并以此为据裁判是否许可当事人离婚。

第二,在诉讼活动中,人民法院对争议处理起主导作用,它要对当事人提出的离婚请求和理由进行审查,是否准予离婚取决于人民法院的依法裁量,它既可以判决准予离婚,也可以依法驳回当事人的请求。

第三,人民法院依法作出的调解和判决,在发生法律效力后,即具有强制执行力,当事人不履行调解书和判决书中所确定的义务的,人民法院可依另一方的申请予以强制执行。

(二)诉讼离婚的法院管辖

依照我国民事诉讼法和最高人民法院《关于适用〈中华人民共和国民事诉讼法〉若干问题的意见》,当事人提起的离婚诉讼,原则上由被告住所地人民法院管辖。但在下述情况下,采用特殊的地域管辖:

1. 被告离开住所地超过一年的,由原告住所地人民法院管辖;双方离开住所地超过一年的,由被告经常居住地人民法院管辖,没有经常居住地的由原告起诉时居住地的人民法院管辖。

2. 被告下落不明或者宣告失踪的,由原告住所地人民法院管辖;原告住所地与经常居住地不一致的,由原告经常居住地人民法院管辖。

3. 被告被劳动教养或者被监禁的,由原告住所地人民法院管辖;原告住所地与经常居住地不一致的,由原告经常居住地人民法院管辖。

4. 非军人对非文职军人提起离婚诉讼由原告住所地人民法院管辖;双方当事人都是军人的,由被告住所地或者被告所在的团级以上单位驻地的人民法院管辖。

5. 被告不在中华人民共和国领域内居住的,由原告住所地人民法院管辖;原告住所地与经常居住地不一致的,由原告经常居住地人民法院管辖。

6. 中国公民双方在国外但未定居,一方向人民法院起诉离婚的,由原告或者被告原住所地的人民法院管辖。

(三)诉讼中的调解和判决

1. 诉讼中的调解

本条规定,"人民法院审理离婚案件,应当进行调解"。这表明调解是人民法院审理离婚案件的必经程序。适用调解程序,其目的在于防止当事人草率离婚,以及在双方当事人不能和解时,有助于平和、妥善地处理离婚所涉及的方方面面的问题。在婚姻生活中,双方难免会有一些冲突和纠葛,有时逞一时之气,就会使矛盾扩大,冲突变得激烈,由此,一些尚未达到不能共同生活程度的婚姻当事人也要求离婚。由法院进行调解,可以促使双方当事人平息怨恨、减少敌对,对自己的婚姻状况和今后的生活进行充分的考虑,珍惜自己与配偶的婚姻关系。即使调解和好不成,双方还是坚持离婚的,也可以调解离婚。调解离婚有助于解决财产和子女问题,由此而达成的调解离婚协议,双方当事人一般都能自觉履行。当然,通过调解达成协议,必须当事人双方自愿,不得强迫;调解也不是无原则的,而应当本着合法的原则进行,调解协议的内容不得违反法律规定。

经过诉讼中的调解,会出现三种可能:第一种是双方互谅互让,重归于好。人民法院将调解和好协议的内容记入笔录,由双方当事人、审判人员、书记员签名或者盖章,协议的法律效力至此产生。第二种是双方达成全面的离婚协议,包括双方同意离婚、妥善安排子女今后的生活、合理分割财产等。人民法院应当按照协议的内容制作调解书。调解书应写明诉讼请求、案件的事实和调解结果,并由审判人员、书记员署名,加盖人民法院印章。离婚调解书经双方当事人签收后即具有法律效力。第三种是调解无效,包括双方就是否离婚或者子女抚养、财产分割等方面达不成协议，在这种情况下，离婚诉讼程序继续进行。

2. 判决

调解不能久调不决，对于调解无效的案件，人民法院应当依法判决。判决应当根据当事人的婚姻状况，判决准予离婚或者判决不准离婚。

一审判决离婚的，当事人在判决发生法律效力前不得另行结婚。当事人不服一审判决的，有权依法提出上诉。双方当事人在十五天的上诉期内均不上诉的，判决书发生法律效力。第二审人民法院审理上诉案件可以进行调解。经调解双方达成协议的，自调解书送达时起原审判决即视为撤销。第二审人民法院作出的判决是终审判决。对于判决不准离婚或者调解和好的离婚案件，没有新情况、新理由，原告在六个月内又起诉的，人民法院不予受理。

（四）诉讼离婚的条件

1. 1980 年婚姻法和司法解释规定的内容

1980 年婚姻法规定，“如感情确已破裂，调解无效，应准予离婚”。根据这一规定，“感情确已破裂”成为诉讼离婚的基本条件和司法尺度，是准予或者不准予离婚的原则界限。夫妻感情是婚姻关系的基础，离婚争议的产生，归根到底可以归结到感情的变化。如果感情确已破裂，婚姻已经“名存实亡”，就应当依法予以解除。准予或不准予离婚，只能以夫妻的感情状况为客观依据。婚姻法和社会主义婚姻道德都要求婚姻要以感情为基础，如果夫妻感情确实已经难以弥合，那么，解除婚姻关系对于双方、对于社会都会成为一种幸事。感情确已破裂应准予离婚，是婚姻自由的重要内容，充分体现了当事人离婚自由的权利。如果用法律手段强行维持感情确已破裂的婚姻关系，与婚姻自由的原则不相吻合。将感情确已破裂，作为准予离婚的法定条件，表明人民法院准予当事人离婚，并不以当事人有否违背夫妻义务或导致夫妻关系解体的特定过错为标准,而是看婚姻关系有无继续维系的可能。不能将不准离婚作为对过错一方的惩罚手段,而且,以判决不准离婚维持已破裂的婚姻,实际上使无过错方也付出了代价。

在如何把握"感情确已破裂"的离婚尺度上,人民法院在审判实践中积累了不少经验。最高人民法院于1989年作出了《关于人民法院审理离婚案件如何认定夫妻感情确已破裂的若干具体意见》的司法解释,其中既有对感情是否确已破裂的综合分析方法,又有视为感情确已破裂的十四种情形。

该意见指出:人民法院审理离婚案件,准予不准离婚应以夫妻感情是否确已破裂作为区分的界限。判断夫妻感情是否确已破裂,应当从婚姻基础、婚后感情、离婚原因、夫妻关系的现状和有无和好的可能等方面综合分析。

所谓婚姻基础,即双方在结婚时的感情状况,比如双方是以爱情为基础的婚姻,还是以金钱、地位、容貌为基础的结合;是自主自愿的自由婚姻,还是包办婚姻、买卖婚姻;是经过慎重了解的,还是草率结婚的。婚姻基础是否牢固,必然会对婚后生活、夫妻感情和离婚原因产生直接或间接的影响。

所谓婚后感情,即双方在婚后共同生活期间的感情状况,它是评价婚姻关系好与坏的基本尺度。当事人的道德品质、性格习惯、工作状况、经济合作、子女抚育、家务分担等,都会不同程度地影响着夫妻感情。夫妻感情处于动态的变化之中,需要对其作历史的、全面的分析,既要考察过去,又要着眼于现在。

所谓离婚原因,即导致离婚的直接诱因,包括使夫妻感情发生变化的因素或事件,比如一方有赌博、吸毒等恶习或实施家庭暴力等。正确考量离婚原因与夫妻感情破裂的内在联系,对于判断夫妻感情是否破裂,是否具有和好可能有重要意义。

所谓夫妻关系的现状和有无和好可能,即双方发生离婚纠纷前后夫妻共同生活的实际状况,以及从当事人主观态度和客观状况看，是否有重归于好的可能性。在离婚纠纷发生的前后，夫妻关系会有不同程度的冲突和恶化，但感情是会因一定的主观和客观条件而发生转化的，在濒于破裂时恢复和好也不是没有可能的。因而需要对夫妻关系的现状有所分析，对其发展前景有所预见。

只有通过对上述几个相互联系的方面进行综合分析，才能作出实事求是的正确判断，为调解提供契机，为判决提供依据。

最高人民法院该意见还规定，根据婚姻法的有关规定和审判实践经验，凡属下列情形之一的，视为夫妻感情确已破裂，一方坚决要求离婚，经调解无效，可依法判决准予离婚：

(1)一方患有法定禁止结婚疾病的，或一方有生理缺陷，或其他原因不能发生性行为，且难以治愈的。

(2)婚前缺乏了解，草率结婚，婚后未建立起夫妻感情，难以共同生活的。

(3)婚前隐瞒了精神病，婚后经治不愈的，或者婚前知道对方患有精神病而与其结婚，或一方在夫妻共同生活期间患精神病，久治不愈。

(4)一方欺骗对方，或者在结婚登记时弄虚作假，骗取《结婚证》的。

(5)双方办理结婚登记后，未同居生活，无和好可能的。

(6)包办、买卖婚姻，婚后一方随即提出离婚，或者虽共同生活多年，但确未建立起夫妻感情的。

(7)因感情不和分居已满三年，确无和好可能的，或者经人民法院判决不准离婚后又分居满一年，互不履行夫妻义务的。

(8)一方与他人通奸、非法同居，经教育仍无悔改表现，无过错一方起诉离婚，或者过错方起诉离婚，对方不同意离婚，经批评教育、处分，或在人民法院判决不准离婚后，过错方又起诉离婚，确无和好可能的。

(9)一方重婚，对方提出离婚的。

(10)一方好逸恶劳、有赌博等恶习,不履行家庭义务,屡教不改,夫妻难以共同生活的。

(11)一方被依法判处长期徒刑,或其违法、犯罪行为严重伤害夫妻感情的。

(12)一方下落不明满两年,对方起诉离婚,经公告查找确无下落的。

(13)受对方的虐待、遗弃,或者受对方亲属虐待,或虐待对方亲属,经教育不改,另一方不谅解的。

(14)因其他原因导致夫妻感情确已破裂的。

以上情形,有的属于一方当事人的过错,如一方重婚、非法同居;有的有悖于婚姻目的,如一方有生理缺陷、下落不明;有的属于根本未建立起夫妻感情的情形,如草率结婚;有的则成为导致夫妻感情破裂的诱因,如虐待、遗弃或有赌博等恶习;而有的则是夫妻感情不和的事实证明,如夫妻长期分居。

这次修改婚姻法,将审判实践中认为是成熟的内容纳入到婚姻法的规定之中,有的作为无效婚姻的情形,如婚前患有不应当结婚的疾病,婚后尚未治愈的;有的作为可撤销婚姻,如因胁迫而结婚的;而有些则作为导致夫妻感情破裂的情形,补充到婚姻法诉讼离婚的规定之中。

2. 关于"夫妻感情破裂"与"婚姻关系破裂"的不同意见

在这次修改婚姻法征求意见的过程中,就是否将"夫妻感情确已破裂"修改为"婚姻关系确已破裂"或"夫妻关系确已破裂",主要有两种不同意见,现分别归纳如下:

一种意见认为,应将"夫妻感情破裂"改为"婚姻关系破裂"。其理由是:(1)婚姻法的调整对象是婚姻关系,而不只是感情关系。(2)感情是婚姻的基础,但不是婚姻关系,在离婚的法定标准上过分强调婚姻关系的感情内涵,容易在概念上把婚姻关系简单化。(3)感情破裂标准不符合我国婚姻关系的现状,许多婚姻的基础并非是感情,但却是自愿。最高人民法院关于如何判断夫妻感情确已破裂的司法解释所列举的十四种情形中,也有相当部分属于非感情因素。如果过分强调感情因素,容易忽视非感情因素对婚姻关系的存续或终止所起的重要作用。(4)夫妻感情是当事人内心的感受,比较复杂,法院难以识别和判断,会降低法律规定在司法实践中的可操作性,而缺乏对婚姻关系破裂事实进行分析的离婚判决,又不可避免地会产生较大的主观随意性。(5)用"夫妻感情破裂"作为离婚的法定条件,与国际立法术语相异。

另一种意见认为,应当维持婚姻法关于"感情确已破裂,调解无效"这一离婚标准。其理由是:(1)"夫妻感情破裂"与"婚姻关系破裂"没有实质区别,最终还是因感情破裂而导致离婚,婚姻关系能否维持是以感情为前提的。(2)感情破裂是婚姻关系解体的内核,至于法律上宣告婚姻的解体,不过是婚姻解体的外在形式,形式服从内容。(3)感情破裂作为离婚标准符合马克思主义对于离婚问题的基本观点。(4)感情破裂是客观的,最高人民法院的司法解释本身就提供了这样的判断依据。(5)法律上并不是把感情确已破裂作为离婚的唯一原因,实际上在司法实践中,也包括了婚姻关系客观上不能维持的现象,但是感情确已破裂是主要的,婚姻关系不能维持或者夫妻双方不能继续共同生活应当是从属性的。(6)改为"婚姻关系确已破裂"实际上在确认离婚标准上没有实质性改变,反而会造成放宽或收紧离婚条件的误导。

3. 婚姻法修改后增加的主要内容

这次婚姻法修改,在诉讼离婚的法定条件上,继承了 1980 年婚姻法的精髓,未作实质性修改,仍然是"如感情确已破裂,调解无效,应准予离婚"。既没有进一步限制也没有放宽离婚的标准。而是根据 1980 年婚姻法实施以来社会生活、家庭生活中反映出来的突出问题,以及在司法审判中所积累的经验,在原来两款规定的基础上,将导致夫妻感情破裂的几种常见的情形和一方被宣告失踪而不能达到婚姻目的的情形具体列举，新增加了两款规定："有下列情形之一，调解无效的，应准予离婚：(一)重婚或有配偶者与他人同居的；(二)实施家庭暴力或虐待、遗弃家庭成员的；(三)有赌博、吸毒等恶习屡教不改的；(四)因感情不和分居满二年的；(五)其他导致夫妻感情破裂的情形。一方被宣告失踪，另一方提出离婚诉讼的，应准予离婚。"

(1)重婚或有配偶者与他人同居的

重婚是指有配偶者又与他人结婚的违法行为。其表现为法律上的重婚和事实上的重婚。前者是指有配偶又与他人登记结婚。后者是指有配偶者又与他人以夫妻名义同居生活。有配偶者与他人同居，也称姘居，是指有配偶的人与他人过着隐蔽的同居生活，不以夫妻名义，也无永久共同生活目的的行为。重婚和有配偶者与他人同居的行为，严重违反了我国一夫一妻制的婚姻制度，严重伤害夫妻感情，是导致离婚的情形之一。

因重婚而引发的离婚案件，会出现两种情况：

一是一方重婚，合法婚姻的另一方起诉离婚的。对此，起诉方坚决要求离婚，调解无效的，应准予离婚。二是重婚一方起诉与原配偶离婚的。对此，如夫妻感情尚未破裂，原配偶坚持不离婚的，可不准予离婚。如果夫妻感情确已破裂，调解无效的，可准予离婚。

因姘居而产生的离婚纠纷，也会出现姘居一方的配偶起诉离婚和姘居一方起诉离婚两种情况，对此，人民法院也应以夫妻感情是否确已破裂为基准，决定准予或者不准予离婚。

在处理涉及重婚和姘居的离婚案件中，应当注意以下几点：

①必须分清是非、明确责任。对于重婚的应当依法解除重婚关系，并依法给予刑事制裁；对于姘居的，必要时可以向有关单位提出给予党纪、政纪处分的司法建议。

②不能以判决不准离婚作为惩罚重婚一方和姘居一方的手

段，强制维持其名存实亡的夫妻关系。无论是无过错方还是有过错方提出离婚，都应以夫妻感情是否破裂作为是否准予离婚的准则。

③准予离婚的，应当在子女和财产问题上照顾无过错方的利益，并应当支持无过错方的损害赔偿请求。

(2)实施家庭暴力或虐待、遗弃家庭成员的

家庭暴力和虐待，是指发生在家庭成员之间，以殴打、捆绑、残害身体、禁闭、冻饿、凌辱人格、精神恐吓、性暴虐等手段，对家庭成员从肉体上、精神上进行伤害、摧残、折磨的行为。遗弃是指对于需要扶养的家庭成员，负有扶养义务而拒绝扶养的行为。表现为经济上不供养，生活上不照顾，使被扶养人的正常生活不能维持，甚至生命和健康得不到保障。近年来，因家庭暴力、虐待和遗弃家庭成员而导致离婚的案件增多，甚至发生毁容、残肢、杀夫杀妻等恶性案件。

人民法院处理因家庭暴力或者虐待、遗弃家庭成员而导致的离婚案件，应当查明夫妻及其他家庭成员之间的感情状况，实施暴力、虐待和遗弃行为的事实和情节。如平时感情不好，实施上述行为是经常的、一贯的、恶劣的，已严重伤害了夫妻感情，调解无效的，应准予离婚。如果平时感情尚好，上述行为是一时而为之且情节不严重的，应当责其改过并着重进行调解，化解纠纷。

(3)有赌博、吸毒等恶习屡教不改的

因有赌博、吸毒以及酗酒等恶习而导致的离婚案件不在少数。沾染上这些恶习的人好逸恶劳，不务正业，不但不履行家庭义务，反而常常引发家庭暴力，消耗家庭的经济积蓄，使家庭的安宁、正常的生活难以为继。身染恶习，屡教不改，夫妻不堪同居生活。

对于这类案件，人民法院应当查明有赌博、吸毒、酗酒等行为一方的一贯表现和事实情况。对情节较轻，有真诚悔改表现，对方也能谅解的，应着眼于调解和好。对于恶习难改，一贯不履行家庭

义务，夫妻感情难以重建，夫妻难以共同生活的，经调解无效，应准予离婚。

（4）因感情不和分居满二年的

夫妻因感情不和分居满二年，一般来说可以构成夫妻感情破裂的事实证明。“分居”是指夫妻间不再共同生活，不再互相履行夫妻义务，包括停止性生活，经济上不再合作，生活上不再互相关心、互相扶助等。具有分居二年的情形，说明夫妻关系已徒具形式，名存实亡。当事人以此事由诉请人民法院离婚的，如经调解无效，应准予当事人离婚。

适用此项规定，应注意以下问题：

①分居的原因是由于夫妻感情不和，而不是因工作、学习等原因导致的两地分居，以及因住房问题造成的夫妻不能同室而居。

②分居强调的是夫妻双方互不履行夫妻义务，而不是单方面的不履行家庭义务。

③夫妻分居已满二年，但未造成夫妻感情确已破裂或经调解尚有和好可能的，则不能认为已具备准予离婚的条件。

④夫妻分居与否、分居是否满二年，都不是当事人诉请离婚的必要条件。如果夫妻感情确已破裂，调解无效的，虽无分居事实或分居未满二年，也应依法准予离婚。

在婚姻法修正案草案征求意见过程中，曾对是否规定该项内容，以及对分居年限的长短存在着不同意见。有的赞成这一规定，认为它反映了夫妻感情破裂的事实情况，理当作为离婚理由；有的不主张规定这项内容，否则会给“喜新厌旧”的人以利用法律的机会，对无过错方不公平。有的认为分居二年时间太短，不利于家庭关系的稳定，应改为三年或五年；有的认为分居已表明夫妻感情不和，要求达到二年时间没有必要，而且分居时间长容易引发家庭恶性事件，不利于保护妇女权益，建议改为一年。修改后的婚姻法集中多数意见规定为二年。

(5)其他导致夫妻感情破裂的情形

导致夫妻感情破裂的原因复杂多样,比如一方犯有强奸罪、奸淫幼女罪、侮辱妇女罪等罪行,严重伤害夫妻感情的。再比如一方婚后患严重的精神疾病,久治不愈,夫妻生活无法维持的。这些情形在婚姻法中难以逐一列举,人民法院应当本着保障离婚自由、防止轻率离婚的原则,根据婚姻法的立法精神和案件的具体情况,作出正确判定。

在此需要重申的是,该条增加规定的上述四种情形,并非婚姻当事人诉讼离婚的必备条件。婚姻当事人在婚姻生活中,如无以上情况发生,但有其他因素导致夫妻感情破裂、调解无效的,人民法院亦应判决准予离婚。从另一方面讲,即使婚姻当事人间有上述情形发生,但未导致夫妻感情破裂,或虽给夫妻感情造成裂痕,但可以经过调解和好的,人民法院则不能判决解除婚姻关系。

此外,该条增加了第四款规定:"一方被宣告失踪,另一方提出离婚诉讼的,应准予离婚。"

根据我国民法通则第二十条规定和民事诉讼法第一百六十八条的规定,公民下落不明满二年的,即该人离开自己居住的地方,音讯杳无,已持续达到二年的,其配偶、父母、子女等利害关系人可以向下落不明的人住所地基层人民法院申请宣告他为失踪人。人民法院受理宣告失踪案件后,应当发出寻找下落不明人的公告,公告期间为三个月。公告期间届满,宣告失踪的事实如果得到确认,人民法院应当作出宣告失踪的判决。对夫妻一方被宣告失踪的,婚姻关系已名存实亡,另一方提出离婚请求的,人民法院即应判决准予离婚。

第三十三条　现役军人的配偶要求离婚,须得军人同意,但军人一方有重大过错的除外。

【释义】　本条是关于现役军人离婚的特别规定。

这次修改婚姻法对本条的规定进行了完善。

一、对军人婚姻特别保护的意义

军队是执行国家政治任务的武装集团，军人是从事军事工作的特殊人员，他(她)们担负着保卫社会主义革命和建设，保卫国家主权、领土完整，防御外来颠覆和侵略的艰巨任务，为了祖国和人民的安宁日夜战斗在国防岗位上。对军人婚姻实行特别保护是维护军队稳定的需要，有利于维护部队广大官兵的切身利益，有利于维护军队的稳定，符合我国的国情和军情，对于消除军人的后顾之忧，激发保家卫国的热情，增强部队战斗力起到了十分积极的作用。同时，也是拥军优属工作的一项重要内容。从 1950 年婚姻法的制定，到 1980 年的修改，我国的婚姻法都对现役军人的婚姻问题作了特殊规定。这种特别规定，体现了军人婚姻历来受到党和国家的高度重视和特别保护。

对军人婚姻实行特别保护是党和国家的一贯政策。早在红军时期颁布的《中华苏维埃共和国婚姻法》就规定："红军战士之妻要求离婚，须得其夫同意。"抗日战争时期颁布的《晋察冀边区婚姻条例》规定："抗日军人之配偶，非于抗日军人生死不明逾 4 年后，不得为离婚之请求。"1950 年新中国颁布的第一部婚姻法明确规定："现役革命军人与家庭有通讯关系的，其配偶提出离婚，须得革命军人的同意。"1980 年公布的现行婚姻法在确立婚姻自由原则的同时，再次规定："现役军人的配偶要求离婚，须得军人同意。"1997 年公布的国防法规定："国家采取有效措施保护现役军人的荣誉、人格尊严，对现役军人的婚姻实行特别保护。"同年公布的新刑法也对破坏军婚罪作了规定。这充分说明，对军人婚姻实行特别保护，是党和国家的一贯政策，并作为有关军人婚姻立法遵循的重要原则，这项政策和原则至今没有改变。

对军人婚姻实行特别保护并不违背婚姻自由的原则。实行婚姻自由，是我国婚姻法确立的一项基本原则。同时，由于军队担负的特殊任务和军人职业特点，国家对军人婚姻，又有一些特殊的法律规定和政策，它既体现在“现役军人配偶要求离婚，须得军人同意”，也体现在军人择偶必须遵守国家和军队的有关规定，军人配偶也享受国家和社会给予军婚家庭的优待和照顾。

二、需要完善的问题

1980 年婚姻法规定，现役军人的配偶要求离婚，须得军人同意。有的部门和一些法律专家认为，该条规定不符合婚姻自由的原则，特别是军人一方有家庭暴力等重大过错时，其配偶要求离婚还须该军人同意，更不合理，建议删去该条规定，或者修改为现役军人的配偶要求离婚，须得军人同意，但军人一方有重大过错的除外。有的部门认为，对军人婚姻实行特别保护是党和国家的一贯政策，新时期兵役制度改革后，基层军官和士官结婚后与配偶分居两地的情况仍很普遍，对军人婚姻依法实行特别保护，对于消除军人的后顾之忧，维护军队稳定，增强部队战斗力有着积极的作用。1984 年最高人民法院《关于贯彻执行民事政策法律若干问题的意见》中规定：“现役军人的配偶提出离婚，应按婚姻法第二十六条规定进行审理。军人不同意离婚时，应教育原告珍惜与军人的夫妻关系，尽量调解和好或判决不准离婚。对夫妻感情已经破裂，经过做和好工作无效，确实不能继续维持夫妻关系的，应通过军人所在部队团以上的政治机关，做好军人的思想工作，准予离婚。”这一规定基本上也能解决因军人一方有重大过错准予离婚的问题。因此，这个司法解释是可行的，要求保留婚姻法保护军婚的规定，对该条内容不作补充、修改。

立法机关认为，对军婚予以特别保护是必要的，但是，对于军人一方有过错的，也应作相应的规定，以保护其配偶的合法权益。因此，根据有的常委委员和一些地方、部门、专家的意见，在“现役军人的配偶要求离婚，须得军人同意”之后增加规定“但军人一方有重大过错的除外”。

三、适用这一规定应注意的问题

（一）本条适用的主体

该条规定适用的主体是现役军人和现役军人的配偶。

1. 现役军人，指有军籍的人，包括在中国人民解放军服现役、具有军籍和军衔的军官、士兵。具体包括：

现役军官：被任命为排级以上职务或者初级以上专业技术职务，并授予相应军衔的现役军人。

军士长，专业军士：均属士官、志愿兵役制士兵。军士长是指被任命为基层行政或者专业技术领导管理职务的现役士兵。专业军士是指服现役满五年以上，自愿继续服现役，经批准担任专业技术工作的现役士兵。

军士、兵：在中国人民解放军被授予上士、中士、下士，以及上等兵、列兵军衔的义务兵役制士兵。他们中间的绝大多数由于年龄尚幼，不具备结婚的年龄条件，因此一般不适用本条的规定。

中国人民武装警察部队虽然不属于中国人民解放军的编制序列，但是在婚姻问题上仍按现役军人婚姻问题处理。

现役军人不包括：一是在军事单位中未取得军籍的职工；二是退役军人，包括复员军人、转业军人、退休军人、离休军人以及退役的革命伤残军人；三是在地方担任某种军事职务的人员。如不属于军队编制的在武装部工作的干部、编入民兵组织或者经过登记的预备役士兵。

2. 现役军人的配偶，指同现役军人履行了结婚登记手续，并领取结婚证的非军人一方。也是本条的主体。

（二）不适用本条规定的两类军人离婚案件

1. 如果双方都是现役军人，则不是该条调整的对象。本条的立法意图，是以一定方式限制军人配偶的离婚请求实现权，从而对军人一方的意愿予以特别支持。如果双方都是现役军人，不管由谁首先提出离婚诉讼，若要适用本条的规定，则必然会妨害另一方军人的利益。这与该条特殊保护军人婚姻的立法意图不相符合。

2. 现役军人向非军人主动提出离婚的，不适用本条的规定，应按一般离婚纠纷处理。中国人民解放军总政治部于1980年发布了《关于军队贯彻执行〈中华人民共和国婚姻法〉的暂行规定》，该文件规定："现役军人提出离婚，应持严肃慎重的态度，要不违反法令，不败坏道德。申请离婚者须经所在单位团以上政治机关同意，并出具证明，方可到地方婚姻登记机关登记离婚，或向人民法院提出离婚诉讼。"

（三）现役军人的配偶提出离婚，现役军人不同意的处理

如果婚姻基础和婚后感情都比较好，人民法院应配合现役军人所在单位对军人的配偶进行说服教育，劝其珍惜与军人的婚姻关系，正确对待婚姻问题，尽量调解和好或判决不予离婚。但是，如果感情确已破裂，确实无法继续维持夫妻关系，经调解无效，人民法院应当通过军人所在单位的政治机关，向军人做好工作，经其同意后，始得准予离婚。

（四）需征得军人同意的例外情况

"但军人一方有重大过错的除外"，是针对"须得军人同意"而说。"须得军人同意"不是绝对的，如果夫妻感情破裂是由于军人一方的重大过错造成的，非军人配偶一方也可以提出离婚，但过错限定在"重大过错"而非一般的过错。哪些属于军人一方的"重大过错"，将由最高人民法院根据审判实践作出具体的司法解释。总之，处理涉及军人的离婚问题，有关部门必须慎重对待，从严掌握。

四、该条规定与离婚法定理由的关系

婚姻法第三十二条规定"如感情确已破裂，调解无效，应准予离婚"。这一规定的法律意义在于：夫妻感情是否确已破裂，是判决准予或不准予离婚的原则界限。法定离婚理由属于普通条款的范畴，这一原则界限，广泛适用于一般的离婚案件，人民法院应准

确地区分和认定夫妻感情是否确已破裂,从而在调解无效的情况下,通过判决的形式决定是否准予离婚。而本条是只适用于"现役军人的配偶要求离婚"案件的特别条款,是从维护军队稳定的大局出发,作出的对军人婚姻的特殊保护的规定,依据"特别法优于普通法"的原则,在处理非军人要求与军人离婚的诉讼案件中,应首先适用本条的规定。

五、对于破坏军人婚姻的违法犯罪行为应给予坚决打击

现役军人的配偶提出离婚须得军人同意的规定,只是保护军人婚姻的民事法律措施。如果此类纠纷是由于第三者破坏军婚造成并且构成犯罪的,应依法追究第三者的刑事责任。刑法规定:"明知是现役军人的配偶而与之同居或者结婚的,处三年以下有期徒刑或拘役。利用职权、从属关系,以胁迫手段奸淫现役军人的妻子的,依照刑法的有关规定定罪处罚。"

第三十四条　女方在怀孕期间、分娩后一年内或中止妊娠后六个月内,男方不得提出离婚。女方提出离婚的,或人民法院认为确有必要受理男方离婚请求的,不在此限。

【释义】　本条是关于男方离婚请求权的限制性的规定。

这次修改婚姻法对本条的规定进行了完善。

1980年婚姻法第二十七条规定:"女方在怀孕期间和分娩后一年内,男方不得提出离婚。女方提出离婚的,或人民法院认为确有必要受理男方离婚请求的,不在此限。"这项规定是对保护妇女、儿童身心健康的特别规定,它在一定条件下限制了男方提出离婚的请求权。

在修改婚姻法的讨论中,有的人提出,自然流产或人工流产,即中止妊娠(俗称"小产"),对妇女的身心健康都会有很大的影响,妇女在此期间也应受到法律的特别保护。而且,妇女权益保障法第四十二条:"女方按照计划生育的要求中止妊娠的,在手术六

个月内，男方不得提出离婚”，对此问题已作了规定。为此，立法机关在原条文的基础上，增加了女方在“中止妊娠后六个月内，男方不得提出离婚”的内容。

为了照顾女方怀孕期间和分娩后一年内或中止妊娠后六个月内的特殊情况，保护胎儿、婴儿的健康、维护妇女的身心健康，上述限制是完全合理的。对女方怀孕期间、分娩后一年内或中止妊娠后六个月内，一方面胎儿或婴儿正处在发育阶段，正需要父母的合力抚育；另一方面妇女也需要身心的康复，如果此时男方提出离婚请求，对妇女的精神刺激过重，既影响妇女的身体健康，也不利于胎儿或婴儿的保育。在上述期间内禁止男方提出离婚，不仅出于事实上的需要，也是社会主义道德的要求。法律不仅要保护胎儿和婴儿，同时也要保护妇女。为了保护妇女和子女的正当利益，法律禁止男方在此时提出离婚请求是完全必要的。

这条规定限制的主体是男方，而不是女方；限制的是男方在一定期限内的起诉权，而不是否定和剥夺男方的起诉权，只是推迟了男方提出离婚的时间，并不涉及到准予离婚与不准予离婚的实体性问题。也就是说，只是对男方离婚请求权暂时性的限制，超过法律规定的期限，不再适用此规定。但是，男方在此期间并不是绝对的没有离婚请求权，法律还有例外规定，即人民法院认为“确有必要”的，也可以根据具体情况受理男方的离婚请求。所谓“确有必要”，一般是指比该条特别保护利益更为重要的利益需要关注的情形。“确有必要”受理男方离婚请求的案例是非常少的，哪些情形“确有必要”受理，由人民法院认定。

法律还规定了该条的另一种例外情形，即在此期间，女方提出离婚的，不受此规定的限制。女方自愿放弃法律对其的特殊保护，说明其本人对离婚已有思想准备，此时，不应加以限制，法院应根据实际情况判予离婚。

第三十五条　离婚后，男女双方自愿恢复夫妻关系的，必须到婚姻登记机关进行复婚登记。

【释义】 本条是关于复婚的规定。

复婚，是指离了婚的男女重新和好，再次登记结婚，恢复夫妻关系。

男女双方离婚后又自愿复婚，可以通过办理恢复结婚登记，重新恢复夫妻关系。复婚登记手续基本与结婚登记手续一致，男女双方应当亲自到一方户籍所在地的婚姻登记机关申请复婚登记。在办理复婚登记时，应提交原离婚证，以备婚姻登记机关审查。

婚姻登记机关按照结婚登记程序办理复婚登记。在办理复婚登记时，应当收回双方当事人的离婚证后，重新发给结婚证。收回离婚证的目的，是防止当事人重婚。对于复婚的当事人一般不再要求进行婚前健康检查。

现实生活中经常出现离婚后未办复婚手续双方又同居的现象，那么，这时的婚姻关系具有何种效力呢？我国《婚姻登记管理条例》规定："中国公民在中国境内结婚、离婚、复婚的必须依照本条例的规定进行登记。"因此，对于离婚后，未办理恢复结婚的登记手续而又实行同居，可以说法律是不承认其婚姻效力的，这种同居将产生的法律后果包括：一是法律上不承认他们之间的关系是合法的婚姻关系。二是由于未办理复婚手续，相互之间没有继承对方遗产的权利和相互扶养的义务。

第三十六条　父母与子女间的关系，不因父母离婚而消除。离婚后，子女无论由父或母直接抚养，仍是父母双方的子女。

离婚后，父母对于子女仍有抚养和教育的权利和义务。

离婚后，哺乳期内的子女，以随哺乳的母亲抚养为原则。哺乳期后的子女，如双方因抚养问题发生争执不能达成协议时，由人民法院根据子女的权益和双方的具体情况判决。

【释义】 本条是关于离婚对父母子女关系的影响及离婚后的子女抚养的规定。

一、离婚后父母与子女关系

婚姻关系的解除,只是夫妻双方的基于婚姻而存在的人身关系和财产关系归于消灭,但父母与子女之间存有的血亲关系不因父母离婚而消除。为了子女的合法利益,不致因父母离婚而受到损害,该条第一款规定:“父母与子女间的关系,不因父母离婚而消除。离婚后,子女无论由父或母直接抚养,仍是父母双方的子女。”这是离婚后父母子女身份关系在法律上的基本界定。

夫妻关系和父母子女关系是两种不同性质的关系。夫妻关系是男女两性基于自愿而结成的婚姻关系,可依法律程序而成立,亦可依法律行为而消除;而父母子女关系是基于出生事实而形成的自然血亲关系,不能人为解除。离婚后,子女无论随父母哪一方生活,仍是父母双方的子女,本法关于父母子女权利义务的规定仍然适用,不能因父母离婚而受到影响。

但拟制血亲所形成的父母子女关系,能否因父母离婚而解除呢?

(一)继父或继母与继子女的抚养关系

由于继父或继母与继子女没有血缘关系,因此,当继父(母)与生母(父)离婚时,继子女与继父母的关系应本着以下原则处理:(1)生父与继母或生母与继父离婚时,继父或继母对曾受其抚养教育的继子女,不同意继续抚养的,不能勉强,继子女与继父或继母的关系可自然解除。继父或继母愿意继续抚养继子女的,人民法院应予准许。(2)受继父或继母长期抚养、教育的继子女已成年的,继父或继母与继子女已经形成的身份关系和权利义务关系不能因离婚而自然解除;只有在继父或继母或继子女一方或双方提出解除继父母子女关系并符合法律规定的条件下,才可以解除。但由继父或继母养大成人的并独立生活的继子女,对于生活困难、无劳动能力的继父或继母晚年的生活费用应该继续承担。

（二）养父母与养子女的抚养关系

养父母与养子女之间的身份关系及其权利义务关系，不因养父母离婚必然解除。养父母离婚后，养子女无论由养父或养母抚养，仍是养父母双方的养子女。在特殊情况下，如养父母离婚时经生父母及有识别能力的养子女同意，双方自愿达成协议，未成年的养子女一方面可依法解除收养关系，由生父母抚养；另一方面可以变更收养关系，由养父或养母一方收养。但变更或解除必须符合《中华人民共和国收养法》的要求，不得侵犯未成年养子女的合法权益。

二、关于离婚后子女的抚养归属

离婚虽然不能消除父母与子女之间的关系，但抚养方式却会因离婚而发生变化，即由父母双方共同抚养子女变成由父或母一方直接抚养子女。1980 年婚姻法对子女抚养作了原则性规定，最高人民法院对审理离婚案件的子女抚养问题也作了司法解释。但现实中，离婚时"争养"或"推养"子女抚养的纠纷比较多。有的夫或妻把子女作为命根子，非要抚养子女不可，并以此作为离婚的前提条件；有的则把抚养子女作为包袱或再婚的障碍，都不愿抚养，由此而闹得你死我活，甚至出现有的当事人把子女丢在法院里或留在双方的组织暂时代养等情况。为此，该条第二、三款规定："离婚后，父母对于子女仍有抚养和教育的权利和义务。""离婚后，哺乳期内的子女，以随哺乳的母亲抚养为原则。哺乳期后的子女，如双方因抚养问题发生争执不能达成协议时，由人民法院根据子女的权益和双方的具体情况判决。"从有利于子女身心健康，保障子女的合法权益出发，结合父母双方的抚养能力和抚养条件等具体情况，结合审判实践，最高人民法院对此问题作了司法解释《关于人民法院审理离婚案件处理子女抚养问题的若干具体意见》，对离婚后的子女抚养问题作了具体规定。

(一)确定子女抚养总的原则

有利于子女身心健康,保障子女的合法权益,是贯穿于本法的基本原则,也是处理离婚后子女抚养归属问题的出发点,只有在此前提下,再结合父母双方的抚养能力和抚养条件等具体情况妥善解决。对离婚后的子女抚养问题要考虑以下几个方面情况:

1. 应考虑父母双方的个人素质、对子女的责任感、家庭环境、父母与子女的感情等因素。

2. 应考虑不能生育和再婚有困难的父或母的合理要求。

3. 在双方的各种条件都基本相同的情况下,原则上由经济能力较强的一方抚养。

4. 十岁以上有识别能力的子女,无论随父还是随母,都应征求子女本人的意见。

(二)确定子女抚养的具体办法

1. 哺乳期内的子女的抚养。“离婚后,哺乳期内的子女,以随哺乳的母亲抚养为原则。”这是因为用母乳哺养,对婴儿的生长发育最为有利。从婴儿的生长发育的利益考虑,夫妻离婚后,凡是正处于用母乳喂养的子女,应依法由哺乳的母亲抚养。

但现实生活中,也有许多孩子出生后,是不用母乳喂养的。对于这样的情况,当夫妻离婚时,如何判定孩子的抚养归属?司法解释规定,两周岁以下的子女,一般随母亲生活。但母亲有下列情形之一的,也可随父亲生活:一是母亲患有久治不愈的传染性疾病或其他严重疾病,子女不宜与其共同生活的;二是母亲有抚养条件不尽抚养义务,而父亲要求子女随其生活的,并对子女健康成长没有不利影响的;三是因其他原因,子女确无法随母方生活的,如母亲的经济能力及生活环境对抚养子女明显不利的,或母亲的品行不端不利于子女成长的,或因违法犯罪被判服刑不可能抚养子女的,等等。

2. 两周岁以上未成年子女的抚养。本条还规定:“哺乳期后的子女，如双方因抚养问题发生争执不能达成协议时，由人民法院根据子女的权益和双方的具体情况判决。”夫妻离婚后，对两周岁以上的未成年子女，随父或随母生活，首先应由父母双方协议决定。因此，当父母双方对抚养未成年子女发生争议时，法院应当进行调解，尽可能争取当事人以协议方式解决。在当事人双方自愿、合法的前提下，协商决定：未成年子女由父方抚养，或随母方生活，或者在有利于保护子女利益的前提下，由父母双方轮流抚养，对上述几种抚养方式的解决，法院都是可以准许的。

如果当事人双方因子女抚养问题达不成协议时，法院应结合父母双方的抚养能力和抚养条件等具体情况，根据有利于子女健康成长的原则妥善地作出裁决。但应注意以下问题：对两周岁以上未成年的子女，父亲和母亲均要求随其生活，一方有下列情形之一的，可予优先考虑：(1)已做绝育手术或因其他原因丧失生育能力的；(2)子女随其生活时间较长，改变生活环境对子女健康成长明显不利的；(3)无其他子女，而另一方有其他子女的；(4)子女随其生活，对子女成长有利，而另一方患有久治不愈的传染性疾病或其他严重疾病，或者有其他不利于子女身心健康的情形，不宜与子女共同生活的。

3. 父母双方对十周岁以上的未成年子女随父或随母生活发生争执的，应考虑该子女的意见。

4. 父母双方抚养子女的条件基本相同，双方均要求子女与其共同生活，但子女单独随祖父母或外祖父母共同生活多年，且祖父母或外祖父母要求并且有能力帮助子女照顾孙子女或外孙子女的，可作为子女随父或母生活的优先条件予以考虑。

5. 在有利于保护子女利益的前提下，父母双方协议轮流抚养子女的，应予准许。父母双方可以协议子女随一方生活并由抚养方负担子女全部抚育费。但经查实，抚养方的抚养能力明显不能保障子女所需费用，影响子女健康成长的，对单方负担全部抚育费的请求，不予准许。

6. 子女抚养归属的变更。父母离婚后，在一定条件下，可以根据父母双方或子女的实际情况的变化，依法予以变更。抚养归属的变更，有两种形式：一是双方协议变更。父母双方协议变更子女抚养关系的，只要有利于子女身心健康和保障子女合法权益，则应予准予。二是一方要求变更。凡一方要求变更子女抚养关系的，有下列情形之一的，应予支持。(1)与子女共同生活的一方因患严重疾病或因伤残无力继续抚养子女的；(2)与子女共同生活的一方不尽抚养义务或有虐待子女行为，或其与子女共同生活对子女身心健康确有不利影响的；(3)十周岁以上未成年子女，愿随另一方生活，该方又有抚养能力的；(4)有其他正当理由需要变更的。父母双方协议变更子女抚养关系的，应予准许。另外，对于在离婚诉讼期间，双方均拒绝抚养子女的，可先行裁定暂由一方抚养。

应当注意的是：离婚后，一方要求变更子女抚养关系的，双方对此不能达成协议时，应另行起诉。这是因为：这一在新情况下提出的诉讼请求，不涉及原离婚案件的离婚问题和夫妻财产的处理问题，而是出现了处理原离婚案件之时不存在（或已解决）的子女抚养方面的新情况。因此，它不是原离婚案件诉讼程序的继续，也不是对原离婚案件子女抚养问题的判决、调解协议错误的纠正，所以，应当作为新的案件另行起诉。

第三十七条　离婚后，一方抚养的子女，另一方应负担必要的生活费和教育费的一部或全部，负担费用的多少和期限的长短，由双方协议；协议不成时，由人民法院判决。

关于子女生活费和教育费的协议或判决，不妨碍子女在必要时向父母任何一方提出超过协议或判决原定数额的合理要求。

【释义】　本条是关于离婚后子女抚养费负担的规定。

夫妻离婚后,父母与子女间的关系,不因父母离婚而消除,父母对于子女仍有抚养和教育的权利和义务。因此,离婚后的夫妻双方都有平等地负担子女生活费和教育费的经济责任。这是法律规定父母对未成年子女的抚养和抚育费负担的强制性的、无条件的、双方平等的义务,当事人都应当自觉遵照执行。至于其经济负担数额和期限等问题,应从子女的实际需要和父母双方所能负担的能力量力而定,合理解决。对于子女抚养费和教育费的具体负担问题,最高人民法院在《关于人民法院审理离婚案件处理子女抚养问题的若干具体意见》的司法解释中作了具体规定。

一、抚养费的范围

抚养费应当包括:生活费、教育费和医疗费等。子女无论由母亲还是由父亲抚养,另一方都应负担必要的抚养费。

二、抚养费给付的一般原则

抚养费如何给付应当首先由父母双方协议,或者经人民法院调解,当事人达成协议的,按照协议确定。但人民法院对于父母双方协议约定子女随一方生活并由抚养方负担子女全部抚育费的,应当进行审查。如经查实,抚养方的抚养能力明显不能保障子女所需费用,可能影响子女健康成长的应不予准许此项协议。现实中有的夫妻为了达成离婚的目的,有的为了争取子女由自己抚养,往往不惜在子女抚育费方面向对方作出让步。但是,父母承担子女的抚育费,这是父母的义务,是子女的权利。父母一方在子女抚育费问题上向另一方作出不适当让步,损害的是子女的合法权益。人民法院为保护子女的合法权益,对于此种损害子女合法权益的协议,自然不能准许。

离婚的夫妻对子女的抚养费数额达不成协议的,由法院判决,无论是协议还是判决,既要考虑子女的实际需要,也要考虑父或母给付的实际能力。至于实际需要的数额,一般应参照当地群众的生活水平,居住在城市的子女的抚养费,一般应比居住在农村的高

一些。具体问题的解决,实践中应当掌握以下几个问题:

(一)抚养费的数额

子女抚育费的数额,可根据子女的实际需要、父母双方的负担能力和当地的实际生活水平确定。分两种情况:一是对于有固定收入的,抚育费一般可按其月总收入的一定比例给付。负担两个以上子女抚育费的,比例可适当提高。工资总额的计算,应当包括工资、较固定的奖金、岗位补贴等。二是对于无固定收入的,抚育费的数额可依据其当年总收入或其所处同行业的平均收入。如农民给付的抚养费的标准一般不低于当地平均水平。个体工商户、专业承包户、私营企业主的子女抚养费,应根据其经营状况和实际利润给付。对一方无经济收入或者下落不明的,可用其财物折抵子女抚育费。

(二)抚养费的给付方法

可依父母的职业情况而定,原则上应定期给付。通常,有工资收入的,应按月或定期给付现金,农民可按收益季度或年度给付现金、实物。有条件的也可以一次性给付,但对于一方要求一次性给付的要慎重处理,确有必要采取一次性给付的,要注意掌握条件。以下情况可以一次性给付:一是出国、出境人员;二是有能力一次性支付的个体工商户、专业承包户、私营企业业主等人员;三是下落不明的一方以财产折抵的;四是双方自愿、协商一致的。

(三)抚养费的给付期限

父母抚养费的给付截止到什么时间?是到孩子十八岁成人为止呢,还是到子女独立生活?独立生活的界限如何掌握?我国民法通则规定:“十八周岁以上的公民是成年人,具有完全民事行为能力,可以独立进行民事活动,是完全民事行为能力人。十六周岁以上不满十八周岁的公民,以自己的劳动收入为主要生活来源的,视为完全民事行为能力人。”教育法规定,国家、社会、家长必须为未成年人完成九年义务教育负有责任,至于九年以后的教育,父母就没有必然的义务支付学费。最高人民法院司法解释规定:(1)十六周岁以上不满十八周岁,以其劳动收入为主要生活来源,并能维持当地一般生活水平的,父母可停止给付抚育费。(2)尚未独立生活的成年子女有下列情形之一,父母又有给付能力的,仍应负担必要的抚育费:①丧失劳动能力或虽未完全丧失劳动能力,但其收入不足以维持生活的;②尚在校就读的;③确无独立生活能力和条件的。

法律对抚养费的给付期限不作硬性规定,实践中应根据具体情况个案处理。

(四)抚养费的变更

无论是登记离婚还是判决离婚,其给付子女抚养费的数额,一般是根据父母离婚的当时,子女所需的必要费用和给付者的经济能力而确定的。但随着社会经济的发展以及人的具体情况的不断变化,不仅每个人的经济状况有时会随着社会的变化而变化,而且,随着人们对物质生活要求的提高,以及消费水平的增长,子女在各方面的需求,使得原抚养费的数额也要随之有所变化。因此,法律赋予子女可根据实际情况向父母任何一方提出超过原定数额的要求,也就是抚养费数额在一定条件下是可以变更的。子女生活费和教育费无论是在协议离婚时达成的还是由法院判决的,都不妨碍子女在必要时向父母任何一方提出增加数额的合理要求。至于费用是否增加,增加多少,不能仅凭子女单方面的要求而确定,应经相应的程序予以解决。其程序可由子女与父母协议解决,协议不成的,可由法院依诉讼程序处理。

司法实践中,子女要求增加抚育费有下列情形之一,父或母有给付能力的,应予支持:(1)由于物价调整,原定抚育费数额不足以维持当地实际生活水平的;(2)因子女患病、上学,实际需要已超过原定数额的;(3)有其他正当理由应当增加的。

此外,还有减免父或母一方抚养费的情况,一般有两种:(1)

抚养子女的父或母既有经济负担能力，又愿意独自承担全部抚育费；(2)给付义务的父或母因出现某种困难，确实无法或没有能力给付抚养费的，可以通过协议或判决，酌情减免给付数额。但减免是有条件的，一旦被减免方情况好转，有能力给予抚养费时，应依照原定数额给付。

需要说明的是，免除抚育费，只是就抚养费而言，其教育子女的其他义务是不能被免除的，另一方不得以减免抚养费为由，限制或剥夺另一方探望子女等权利。

变更抚育费，原则上限于子女提出或根据子女利益，由直接抚养子女的一方以子女的名义提出，但权利主体只能是子女。

第三十八条　离婚后，不直接抚养子女的父或母，有探望子女的权利，另一方有协助的义务。

行使探望权利的方式、时间由当事人协议；协议不成时，由人民法院判决。

父或母探望子女，不利于子女身心健康的，由人民法院依法中止探望的权利；中止的事由消失后，应当恢复探望的权利。

【释义】　本条是关于离婚后不直接抚养子女的父母一方探望子女权利的规定。

本条规定是这次修改婚姻法新增加的内容。

在法理上，探望子女的权利是亲权的一项内容，最早可溯至罗马法中的家长权。婚姻家庭法中的亲权是以主体间特定的亲属身份为发生依据的，父母婚姻关系的终结并不改变父母与子女的血缘身份关系。婚姻法第三十六条明确规定，父母与子女间的关系，不因父母离婚而消除。离婚后，子女无论由父或母直接抚养，仍是父母双方的子女。离婚后父母对于子女仍有抚养和教育的权利与义务。因此，在将监护权判给一方的情况下，法律赋予了不直接抚养子女的另一方以探望的权利。

在发生探望权利纠纷时，首要的救济方式是双方当事人的协商。双方不应囿于夫妻离异后的冲突纷争上，应从有利子女健康成长的角度出发，对探望的时间、探望的方式，探望期间双方对子女的安排等作出协商。当双方无法就诸上事宜达成一致时，尤其在享有监护权的一方无故拒绝不直接抚养子女的一方探望子女时，享有探望权的一方可依民事诉讼法的有关规定提起诉讼，请求人民法院作出判决。婚姻法修改征求意见中，有意见认为由人民法院对探望纠纷作出判决，在司法实践中难以执行。父母对子女的探望权利虽然在1980年婚姻法中虽没有明确规定，但是受法律保护。如果抚养子女的一方不允许非直接抚养子女的一方探望子女，非直接抚养子女的一方可以申请法院变更抚养关系。反对意见认为，享有监护权的一方不允许非直接抚养子女的一方探望子女并不能当然导致抚养关系的变更。如果说探望权的设立还兼顾了父母和子女双方权利的话，那么监护权判决则主要考虑了子女身心健康的发展和未成年人合法权益的保障，它强调的是父母的义务而非权利。如果享有探望权的一方无力抚养子女，或判其抚养子女存在不利于子女身心健康发展的情形，即使享有监护权的父母一方拒不履行协助义务令其不能探望子女，法院也不能当然判决抚养关系的变更，因为抚养关系变更的出发点不是父母权利的满足而是子女合法权益的保障。

需要说明的是，本法第四十八条规定对拒不执行有关扶养费、抚养费、赡养费、财产分割、遗产继承、探望子女等判决或裁定的，由人民法院依法强制执行。有关单位和个人应负协助执行的责任。这里涉及探望权判决或裁定的强制执行问题。根据《中华人民共和国民事诉讼法》第二百零七条的规定，发生法律效力的民事判决、裁定，以及刑事判决、裁定的财产部分，由第一审人民法院执行。民事诉讼法第二百三十一条规定，对判决、裁定和其他法律效力文书指定的行为，被执行人未按执行通知履行的，人民法院可以强制执行或者委托有关单位或者其他人完成，费用由被执行人承担。但是强制执行的标的不是子女的人身。最高人民法院关于贯彻民事诉讼法的意见第二百五十四条中规定，强制执行的标的应当是财物或行为。当事人拒绝履行发生法律效力的判决、裁定、调解书、支付令的，人民法院应当向当事人发出执行通知，在执行通知指定的期间被执行人仍不履行的，应当强制执行。

究竟探望权判决该如何强制执行？一些国家的法律作出了细致的规定。美国某些州的做法是，明确规定了对不允许探视或其他探视权纠纷的救济措施。如科罗拉多州法律规定执行探视判决的，法院可以进行听证或要求当事人寻求调解。有监护权的一方不允许有探视权的一方探视，情节轻微的，法院可以增加判决内容或执行条件，以保证对将来探视权利的执行。对拒不执行判决、具有蔑视法庭情况的，可以处以罚款或监禁，也可以在规定的时间内变更或取消监护权。在 Smith 一案中，母亲因阻挠孩子父亲的探视权而被一审法院以蔑视法庭判五天监禁。该母亲的上诉被驳回，上诉法院认为她有义务履行一审法院要求其为孩子的父亲探视创造条件的判决。因为孩子们年龄尚小，不能做出拒绝父亲探视的意思表示，该母亲也未能出示父亲的探视对子女利益有害的证据。故法院判决：有监护权的母亲有将孩子送至其父亲处以实现其探视权的义务。在 Egle 一案中，有监护权的母亲因一贯干涉其前夫对子女的探视权，包括不让父亲见孩子并且离间孩子与父亲的关系，导致法院作出变更监护权的判决。

根据我国民事诉讼法第一百零二条第六项的规定，诉讼参与人或者其他人拒不履行人民法院已经发生法律效力的判决裁定的，人民法院可以根据情节轻重予以罚款、拘留；构成犯罪的依法追究刑事责任。因此对无故拒绝一方探望子女的当事人，情节严重的，可以依照民事诉讼法以及其他法律的规定处罚。

本条第三款规定了对探望权的限制。父或母探望子女，不利于子女身心健康的，由人民法院依法中止探望的权利；中止的事由消失后，应当恢复探望的权利。不直接抚养子女的父母一方的探望权，只有在特殊的情况下才能被加以限制。这种特殊情况主要是指探望有可能不利于子女的身心健康。如父母一方患精神疾病、传染性疾病，有吸毒等行为或对子女有暴力行为、骚扰子女的行为等。并且根据预防未成年人犯罪法第十四条的规定，未成年人的父母或者其他监护人和学校应当教育未成年人不得有下列不良行为：（一）旷课、夜不归宿；（二）携带管制刀具；（三）打架斗殴、辱骂他人；（四）强行向他人索要财物；（五）偷窃、故意毁坏财物；（六）参与赌博或者变相赌博；（七）观看、收听色情、淫秽的音像制品、读物等；（八）进入法律法规规定未成年人不适宜进入的营业性歌舞厅等场所；（九）其他严重违背社会公德的不良行为。当一方以探望子女为由，教唆、胁迫、引诱未成年子女实施以上不良行为则足以构成不利于子女身心健康的要件，可由人民法院依法中止其探望的权利。当以上不利于子女身心健康的情形消除后，非直接抚养子女的一方原享有的探望权利应可恢复。对此本条第三款规定，中止的事由消失后，应当恢复探望的权利。无论是探望权利的中止或者恢复，都应有权利人的主张，具体程序由人民法院根据民事诉讼法的相关规定处理。

第三十九条　离婚时，夫妻的共同财产由双方协议处理；协议不成时，由人民法院根据财产的具体情况，照顾子女和女方权益的原则判决。

夫或妻在家庭土地承包经营中享有的权益等，应当依法予以保护。

【释义】　本条是有关离婚后夫妻共同财产分割的规定。

离婚时的财产分割是离婚所产生的法律后果之一。法律允许夫妻双方在离婚时就财产问题自行协商处理。对于未达成协议的由法院根据具体情况,照顾子女和女方权益的原则判决。此项规定的前提是夫妻共同财产的分割,不同的财产制下共同财产的范围不同,在分割时首先应对财产的性质作出界定。

一、共同财产的界定

根据婚姻法第十九条的规定,夫妻可以对婚姻关系存续期间所得的财产以及婚前财产的归属作出约定——或为共同所有,或为分别所有,或部分共同所有,或部分各自所有。如果夫妻双方约定实行分别财产制,则财产归属较为明晰,发生纠纷时关键在于举证,当对个人财产还是夫妻共同财产难以确定时,主张权利的一方负有举证责任,当事人举不出有力证据,法院又无法查实的,一般按夫妻共同财产处理。如果夫妻双方未对婚姻关系存续期间所得的财产以及婚前财产作出约定,则除本法第十八条规定的财产以外,为夫妻共同财产,按本条的规定进行分割。如果夫妻双方约定婚姻关系存续期间以及婚前财产均为夫妻共同财产,则离婚时可以分割的财产不仅包括婚后所得财产,还包括夫妻双方的个人婚前财产。如果夫妻双方对婚姻关系存续期间所得的财产以及婚前财产约定部分归各自所有部分归共同所有,在离婚分割财产时,首先要根据夫妻双方的约定界定个人财产和共同财产的范围,然后再对共同财产进行分割。

在对个人财产和共同财产划界时,最高人民法院 1993 年印发的《关于人民法院审理离婚案件处理财产分割问题的若干具体意见》中规定了以下几种特殊情况:(1)在婚姻关系存续期间,复员、转业军人所得的复员费、转业费,结婚时间十年以上的,应按夫妻共同财产分割。复员军人从部队带回的医药补助费和回乡生产补助费,应归本人所有。(2)夫妻分居两地分别管理、使用的婚后所得财产,应认定为夫妻共同财产。在分割财产时,各自分别管理、使用的财产归各自所有。双方所分财产相差悬殊的,差额部分由多得财产的一方以差额相当的财产抵偿另一方。(3)已登记结婚，尚未共同生活，一方或双方受赠的礼金、礼物应认定为夫妻共同财产，具体处理时，应考虑财产来源、数量等情况合理分割。各自出资购置、各自使用的财物，原则上归各自所有。（4）一方婚前个人所有的财产，婚后由双方共同使用、经营、管理的，房屋和其他价值较大的生产资料经过八年，贵重的生活资料经过四年可视为夫妻共同财产。并且婚前个人财产在婚后共同生活中自然毁损、消耗、灭失，离婚时一方要求以夫妻共同财产抵偿的，不予支持。可以看出，第一项、第四项都是典型的个人财产转化为夫妻共同财产的情形。需要说明的是，以上为最高人民法院针对 1980 年婚姻法作出的司法解释，婚姻法修正案生效后，原有的司法解释若同新的法律条文相抵触，应作出相应调整。

二、分割共同财产应考虑的因素

在分清个人财产、夫妻共同财产的前提下，法院应根据财产的具体情况，照顾子女和女方权益的原则，公平公正地分割共同财产。原 1980 年婚姻法对此项规定的表述是照顾女方和子女的权益。在大多数情况下，夫妻离婚，家庭成员中未成年子女恐怕是不幸婚姻的最大受害者。因此婚姻法修改中特别强调了对子女权益的保障，将其作为分割夫妻共同财产时优先考虑的因素，将原条文中“女方权益”和“子女权益”的先后位置作了调换，修改为“协议不成时，由人民法院根据财产的具体情况，照顾子女和女方权益的原则判决”。

在分割夫妻共同财产时，是否要考虑照顾无过错方的利益呢？最高人民法院 1993 印发的《关于人民法院审理离婚案件处理财产分割问题的若干具体意见》中规定，人民法院审理离婚案件对夫妻共同财产的处理，应坚持照顾无过错方的原则。但根据本法的规定，在夫妻共同财产分割时，法院考虑的因素仅是子女权益和女方权益，不涉及过错或无过错的因素。但为了体现公平，照顾无过错方的利益，本法第四十六条规定了离婚损害赔偿制度——有下列情形之一，导致离婚的，无过错方有权请求损害赔偿：（1）重婚的；（2）有配偶者与他人同居的；（3）实施家庭暴力的；（4）虐待、遗弃家庭成员的。离婚过错赔偿方式分为两类：一是在夫妻共同财产分割中，向无过错方多分财产，这是当前审判实践的做法；二是在夫妻财产归各自所有、或共有财产不足以补偿的情况下，过错方以自己的财产向无过错方作出补偿。本法并未采取离婚时分割共同财产的过错原则，也就是说在共同财产分割中不考虑引起离婚的个人责任，而是采取离婚过错赔偿原则，无过错方有权请求赔偿损失。

三、不同性质财产的分割

审判实践在分割夫妻共同财产时，区分与生产经营相关的财产、房屋以及知识产权等不同类型财产而作不同处理，原则上作均等分割，但根据生产、生活的实际需要和财产来源等情况，具体处理时也可有所差别。

（一）与生产经营有关的财产。1993 年最高人民法院《关于人民法院审理离婚案件处理财产分割问题若干具体意见》中规定：（1）一方以夫妻共同财产与他人合伙经营的，入伙的财产可分给一方所有，分得入伙财产的一方对另一方应给予相当于该财产一半价值的补偿。（2）属于夫妻共同财产的生产资料，可分给有经营条件和能力的一方。分得该生产资料的一方对另一方应给予相当于该财产一半价值的补偿。（3）对夫妻共同财产经营的当年无收益的养殖、种植业等，离婚时应从有利于发展生产、有利于经营管理考虑，予以合理分割或折价处理。以上司法解释是根据 1980 年婚姻法作出的，婚姻法经过修改后，其有关财产分割的规定若同新法的相关条文有抵触，应作出相应调整。当前在对与生产经营有关的财产进行分割时出现了比较棘手的新情况，涉及股票、股权、股份乃至整个公司或企业的分割，由于涉及婚姻法和公司法、证券法的交叉，分割上存在一定的困难。有些法院的做法是，股票宜采取直接分割的方法，避免估价或折价带来的风险损失；股权或股份的分割，原则上应在不违反公司法的前提下采取折价补偿或转移一半股份或股权的方式均等分割；对于双方创办的企业，应尽量在保护债权人利益的前提下予以解决。

（二）关于房屋。房屋是大多数当事人在离婚时最有价值的财产，通常房屋是在婚姻存续期间取得并属于夫妻共同财产。在房屋分割中尤其要体现对妇女儿童权益的保护，尽量将房屋分割和子女抚养结合起来。妇女权益保障法第四十四条规定：国家保护离婚妇女的房屋所有权。夫妻共有的房屋，离婚时，分割住房由双方协议解决；协议不成的，由人民法院根据双方的具体情况，照顾子女和女方权益的原则判决。夫妻双方另有约定的除外。夫妻共同租用的房屋，离婚时，女方的住房应当按照照顾子女和女方权益的原则协议解决。夫妻居住男方单位的房屋，离婚时，女方无房居住的，男方有条件的应当帮助其解决。根据 1980 年的婚姻法，审判实践中一般认定：（1）婚后八年内双方对婚前一方所有的房屋进行过修缮、装修、原拆原建，离婚未变更产权的，房屋仍归产权人所有，增值部分中属于另一方应得的份额，由房屋产权人折价补偿另一方；进行过扩建的，扩建部分的房屋应按夫妻共同财产处理。（2）对不宜分割使用的夫妻共有的房屋，根据双方住房情况和照顾抚养子女方或无过错方等原则分给一方所有。分得房屋的一方对另一方应给予相当于该房屋一半价值的补偿。在双方条件等同的情况下，应照顾女方。（3）婚姻存续期间居住的房屋属于一方所有，另一方以离婚后无房居住为由，要求暂住的，经查实可据情予以支持，但一般不超过两年。无房一方租房居住经济上确有困难的，享有房屋产权的一方可给予一次性经济帮助。当前有关房产的分割，比较复杂，涉及承租、使用的公房、微利房、福利房、商品房、自建私房等。1996 年最高人民法院印发了《关于审理离婚案件中公房使用、承租若干问题的解答》，其中规定：夫妻共同居住的公房,具有下列情况的,离婚后双方均可承租:(1)婚前由一方承租的公房,婚姻关系存续五年以上的;(2)婚前一方承租的本单位的房屋,离婚时,双方均为本单位职工的;(3)一方婚前借款投资建房取得的公房承租权,婚后夫妻共同偿还借款的;(4)婚后一方或双方申请取得公房承租权的;(5)婚前一方承租的公房,婚后因该承租房屋拆迁而取得房屋承租权的;(6)夫妻双方单位投资联建或联合购置的共有房屋的;(7)一方将其承租的本单位的房屋,交回本单位或交给另一方单位后,另一方单位另给调换房屋的;(8)婚前双方均租有公房,婚后合并调换房屋的;(9)其他应当认定为夫妻双方均可承租的情形。对夫妻双方均可承租的公房而由一方承租的,承租方对另一方可给予适当的经济补偿。夫妻双方均可承租的公房,如其面积较大能够隔开分室居住使用的,可由双方分别租住;对可以另调房屋分别租住或承租方给解决住房的,可予准许。离婚时,一方对另一方婚前承租的公房无权承租而解决住房确有困难的,人民法院可调解或判决其暂时居住,暂住期限一般不超过两年。暂住期间,暂住方应交纳与房屋租金等额的使用费及其他必要费用。离婚时,一方对另一方婚前承租的公房无权承租,另行租房经济上确有困难的,如承租公房一方确有负担能力,应给予一次性经济帮助。对夫妻共同出资而取得的"部分产权"的房屋,人民法院可参照上述意见予以妥善处理。但分得房屋"部分产权"的一方应按所得房屋产权的比例,依照离婚时当地政府有关部门公布的同类住房标准价,给予对方一半价值的补偿。夫妻双方均争房屋"部分产权"的,如双方同意或者双方经济、住房条件基本相同,可采取竞价方式解决。房改后,如何分割夫妻关系存续期间根据房改政策购买的房屋,各地做法不同,大致如下:(1)离婚双方对该房今后的市场价进行确认,一方得房,一方获取补偿;(2)双方都要房,可通过房屋置换公司置换、调剂;(3)一方要房,另一方不争,但双方对房屋当前的市场价不能达成一致，房屋暂不分割，先作为共同财产，待以后上市时再作分割；(4)竞价，由出价高的一方取得房屋，另一方取得一半价款，等等。

（三）关于农村土地承包经营权。在农村，夫妻共同财产的分割主要涉及房屋、承包的土地、果园等。妇女权益保障法第三十条规定，农村划分责任田、口粮田等，以及批准宅基地，妇女与男子享有平等的权利，不得侵害妇女的合法权益。妇女结婚、离婚后，其责任田、口粮田和宅基地等，应当受到保障。农村地区，土地、果园大部分实行家庭联产承包责任制，每个家庭承包的面积是根据家庭人口按本村人均面积分配的，因此，女方在土地承包上同样享有承包经营权。但是中国的婚姻习俗多数是女方落户到男方，承包土地多数以男方为户主名义承包，双方一旦离婚，女方的承包经营权难以保障。因此在婚姻法修正案草案第三次审议时，在本条之后又加一款，夫或妻在家庭土地承包经营中享有的权益等，应当依法予以保护。

最后，在夫妻共同财产分割时，还需要说明一个问题。本法第四十七条规定："离婚时，一方隐藏、转移、变卖、毁损夫妻共同财产，或伪造债务企图侵占另一方财产的，分割夫妻共同财产时，对隐藏、转移、变卖、毁损夫妻共同财产或伪造债务的一方，可以少分或不分。离婚后，另一方发现有上述行为的，可以向人民法院提起诉讼，请求再次分割夫妻共同财产。人民法院对前款规定的妨害民事诉讼的行为，依照民事诉讼法的规定予以制裁。"这里要说明的是此项请求权的行使要受到诉讼时效的限制，即权利人自知道或应当知道权利被侵害时起计算，两年后再向人民法院提起诉讼则丧失胜诉权。

第四十条　夫妻书面约定婚姻关系存续期间所得的财产归各自所有，一方因抚育子女、照料老人、协助另一方工作等付出较多

义务的，离婚时有权向另一方请求补偿，另一方应当予以补偿。

【释义】 本条是对分别财产制下承担较多家务劳动的一方在离婚时享有经济补偿的权利的规定。

本条的规定实质上是对家务劳动价值的认可，使经济地位较弱而承担较多家务劳动的一方（大多为女性）在离婚时享有经济上的补偿。

本条规定的前提之一是夫妻双方采取分别财产制，法定财产共同制和约定财产共同制下不存在补偿的问题。法定财产共同制下，除去个人特有财产外，大部分婚姻存续期间的财产归夫妻共同所有；约定财产共同制下夫妻共有财产的范围更广，经过约定后，夫妻的婚前财产和婚姻关系存续期间所得的财产，均归双方共同共有。对于共同共有财产，法院一般坚持均等分割的原则，同时特别注意保护妇女儿童的合法权益。妇女权益保障法明文规定：在婚姻、家庭共有财产关系中，不得侵害妇女依法享有的权益。妇女对依照法律规定的夫妻共同财产享有与其配偶平等的占有、使用、收益和处分的权利，不受双方收入状况的影响。总之，无论是在法定共同财产制下还是在约定的共同财产制下，一旦婚姻存续期间所得的大部分财产被归入夫妻共同财产而进行分割，法院会作出公平公正的判决，尤其注意维护家务劳动繁重而经济收入较少的妇女一方的权益。但是实行约定分别财产制后，情形就不同了，它可能会使经济弱势方的合法权益得不到保障。

在约定分别财产制下，夫妻双方婚前和婚后所得财产归各自所有，并单独行使管理权、收益权及处分权，同时也不排斥一方以契约形式将其财产的管理权交于另一方，或双方拥有一部分共同财产。分别财产制保证了双方独立的财产权，但妇女的就业机会和经济收入大多低于男性，并且在大多数情况下，为了家庭利益而牺牲自己发展机会的往往是女性，家务劳动又不计报酬，在离婚时如果不将这部分家务劳动给予补偿，对广大妇女的利益是不利的。

如果夫妻双方在真实意思支配下作出的约定,符合民事法律行为的一般要件——具有合法夫妻身份;双方为完全民事行为能力人;双方完全自愿,不存在欺诈、胁迫或乘人之危的情形;约定内容未规避法律,未违背社会公共利益,未违反有关法定义务;约定形式合法,则此种约定,法律不应干涉,当事人的意思自治应得到尊重。并且根据本法第十九条的规定,可以看出约定财产制排除法定财产制优先适用,合法有效的约定即使存在有一点不平等,只要当事人自愿,法律也应尽力维护。但是婚姻对于感情维系、人口繁衍、文明发展以及道德维护诸方面所产生的重要作用,使得婚姻和家庭关系成为法律调节和法律控制的一个重要对象,家庭内部的"巧取豪夺"应得以限制。在曾实行分别财产制的普通法系国家,有的在离婚分割财产时,使用公平分割的原则,而不论是否为分别财产。这种原则的背后是合伙关系的理论。它推定所有的配偶对家庭财富积累的贡献是相等的,只是其方式有直接和间接之分。家庭主妇对维持婚姻所作的无形贡献是积累家庭财富的间接方式,因而对有经济收入的一方所得的财产享有平等的所有权。1963 年美国民事和政治权利委员会就妇女地位向总统委员会所作的报告指出,婚姻是一种合伙关系,每个配偶都作了不同但同样重要的贡献。家务劳动在商品交换社会中,对社会而言无经济价值,但对家庭而言是有经济价值的。妻子通过家务劳动、子女抚养而对婚姻的贡献,与丈夫维持家计扶养家庭成员有同等的价值。因此在分割婚姻财产时必须均等,如果均等分割将导致结果不公平,法院可以公平原则代替均等原则。

在我国的婚姻法中,当事人的意思自治得到充分尊重。一个合法有效的夫妻财产约定排除法定的共同财产制而得到优先适用,法院不得不论财产的性质而一律均等分割。但是,当一方因抚养子女、照料老人、协助另一方工作等付出较多义务,并且因为诸上原因牺牲了自己的发展机会,导致自己在婚姻关系存续期间无经济收入，或者经济收入远低于另一方，当婚姻关系终结之时，她们的利益在分别财产制下就得不到有效的保障。正如前所述，由于婚姻家庭对社会的重要作用，使得法律会运用直接而明确的方法进行干预，以彰显正义、维护道德、发展文明。因此婚姻法在本条中规定夫妻书面约定婚姻关系存续期间财产归各自所有，一方因抚养子女、照料老人、协助另一方工作付出较多义务的，离婚时可以向另一方请求补偿。赋予对家庭付出较多义务而在经济上处于劣势的一方以独立的诉讼请求权，使其在婚姻关系终结时可向对方提出经济上的补偿。

需要指出的是，本条的规定并非对约定分别财产制的否定或修正，它是法律根据权利义务对等的原则在个人权利同社会公平间取得的平衡。在分别财产制下，双方婚前婚后所得财产仍归各自所有，夫不再是家庭的家长，夫不承担扶养妻之责任，也不再与妻共享其个人所得或其个人财产。与之对应的是，抚养子女，从事家务等工作，是夫妻双方共同的义务。当一方为了双方共同的利益付出较多义务，在婚姻关系终结时，有权请求另一方给予补偿是不言自明的道理。

最后需要强调的是，第一，本条的适用范围仅为约定的分别财产制，婚后所得共同制或约定一般共同制下不存在此类补偿问题。第二，权利和义务应遵循对等的原则。只有在一方为婚姻共同体尽了较多义务，如抚养子女、照料老人、协助另一方工作的情况下才可向对方请求补偿。第三，此种补偿并非离婚分割共同财产时的考虑因素，而是一种独立的诉讼请求权。

第四十一条　离婚时，原为夫妻共同生活所负债务，应当共同偿还。共同财产不足清偿的，或财产归各自所有的，由双方协议清偿；协议不成时，由人民法院判决。

【释义】　本条是有关离婚时夫妻债务清偿责任的规定。

本条基本保留了1980年婚姻法第三十二条的规定。

婚姻关系终结时,夫妻债务清偿应遵循的原则是共同债务以共同财产清偿,个人债务以个人财产偿还。这就涉及共同债务和个人债务的界定问题,不同的财产制度有不同的划分。无论是约定共同制或法定共同制,原则上为夫妻共同生活所欠的债务,无论是否为夫妻共同所为,他方是否认可,均应推定为共同债务。对于非共同生活所负债务,凡经双方事先认可者,也应由双方共同清偿。凡为个人需要而支付的费用或负担债务,应由本人以其个人财产清偿,他方无代偿义务。若夫妻间实行完全分别财产制,在没有共同财产的情况下,为夫妻共同生活所负债务应由双方协议清偿,协议不成时,由法院参照共同财产制下的同类问题处理。

什么是夫妻共同生活所负债务呢?最高人民法院《关于人民法院审理离婚案件处理财产分割问题的若干具体意见》中规定,夫妻为共同生活或为履行抚养、赡养义务等所负债务,应认定为夫妻共同债务,离婚时应以夫妻共同财产清偿。婚前一方借款购置的房屋等财物已转化为夫妻共同财产的,为购置财物借款所负债务,视为夫妻共同债务。个人债务又包括哪些呢?最高人民法院在上述意见中又明确,下列债务不能认定为夫妻共同债务,应由一方以个人财产清偿:(1)夫妻双方约定由个人负担的债务,但以逃避债务为目的的除外。(2)一方未经对方同意,擅自资助与其没有抚养义务的亲朋所负的债务。(3)一方未经对方同意,独自筹资从事经营活动,其收入确未用于共同生活所负的债务。审判实践中对夫妻关系存续期间一方从事合法经营造成亏损或双方从事非法经营造成亏损,或者虽由一方进行非法经营,但另一方明知而不反对的债务,一律作为夫妻共同债务加以认定,但对一方从事非法经营,配偶的另一方并不知情或事先已明确表示反对的债务,一般认定为个人债务。(4)其他应由个人承担的债务。由此看来,债务清偿遵循权利义务对等的原则,当所支付的费用或所负债务为共同生活所需时,即使不是双方共同所为,或是未经他方同意,他方也要负清偿责任。如一方未经另一方同意而去商店购买生活必需品,或带孩子去看病,或向双方应尽赡养义务的老人支付赡养费等等,另一方有负担清偿的义务。又如夫妻一方婚前以自己的名义贷款购房,婚后房屋由双方共同居住且为夫妻共同财产,则双方对房款有共同偿还之责任。

一方非为共同生活所需而负担的债务,原则上应由其个人财产偿还。除去最高人民法院《关于人民法院审理离婚案件处理财产分割问题的若干具体意见》中列出的几项有关个人债务的认定外,我们还应结合本法第十八条的个人特有财产作一下分析。根据本法第十八条的规定:(1)一方的婚前财产为夫妻一方的财产;同理,对于配偶一方婚前的债务,他方无清偿义务。(2)遗嘱或赠与合同中确定只归夫或妻一方的财产为一方个人财产;那么附随这份遗嘱或赠与合同而来的债务也应由接受遗嘱或赠与的一方单独承担,他方无清偿责任。(3)审判实践中一般将一方因个人不合理的开支,如赌博、吸毒、酗酒所负债务,或夫妻分居期间所负的债务认定为个人债务。

第四十二条　离婚时,如一方生活困难,另一方应从其住房等个人财产中给予适当帮助。具体办法由双方协议;协议不成时,由人民法院判决。

【释义】　本条是有关离婚后,一方对生活困难的另一方给予适当经济帮助的规定。

本条在1980年婚姻法第三十三条的基础上作了修改。原条文的规定为,离婚时,如一方生活困难,另一方应给予适当的经济帮助。具体办法由双方协议;协议不成时,由人民法院判决。婚姻法修正案草案一次审议时未对原婚姻法第三十三条作改动,但在有关夫妻共同财产的规定中增加一款:一方婚前个人所有的财产,婚后由双方共同使用、经营、管理的，住房和其他价值较大的生产资料经过八年，贵重的生活资料经过四年，视为夫妻的共同财产，双方另有约定的除外。这项规定来源于最高人民法院《关于审理离婚案件处理财产分割问题的若干具体意见》，但在婚姻法修正案草案二次审议中删除了此项关于财产转化的规定，它所体现的保护弱势方的精神放在本条的内容里——离婚时，如一方生活困难，另一方应从其住房等个人财产中给予适当帮助。具体办法由双方协议；协议不成时，由人民法院判决。

对大多数中国家庭来说，房屋可能是离婚时夫妻最有价值的财产，比较 1980 年婚姻法，本条特别突出了对生活困难方由另一方从其“住房”等个人财产中给予帮助的规定。以 1980 年婚姻法为依据的司法解释曾规定，婚姻存续期间居住的房屋属于一方所有，另一方以离婚后无房居住为由，要求暂住的，经查实可据情予以支持，但一般不超过两年；无房一方租房居住经济上确有困难的，享有房屋产权的一方可给予一次性经济帮助。此次婚姻法修改中吸收了这一司法解释的精神，规定离婚时，如一方生活困难，另一方应从其住房等个人财产中给予适当帮助。

婚姻关系存续期间，夫妻双方有互相扶养的义务，一方不履行扶养义务时，需要扶养的一方有要求对方付给扶养费的权利。婚姻关系终结后，仍要求一方对生活困难的另一方从其个人财产中给予适当的帮助，实质是夫妻间扶养义务的延续。在传统的普通法制度中，结婚后，妻子在法律上的权利能力被剥夺而转移至丈夫身上，作为交换，丈夫有扶养和保护妻子的义务，妻子具有从事家务劳动以及为丈夫提供服务的义务。婚姻关系终结时，丈夫仍要对妻子尽扶养义务，这源于早期的普通法在离婚问题上采用过错原则，即离婚是由于一方违反了法律列举的异乎寻常的婚姻错误，是对无过错方的法律救济，因此，妻子要求丈夫继续给付扶养费的条件是离婚是由丈夫的过错所致，且妻子为无过错一方。现代普通法国家多采用无过错离婚原则，扶养费的过错作用已经降低，是否给付扶养费考虑最多的不再是给付方的过错，而是接受方的需要和给付方的支付能力。在婚姻关系终结时，除去财产分割外，给予生活困难的一方以金钱或财物的帮助，是对前配偶一方的扶助或资助。现代的配偶扶养是双向的，丈夫在妻子生活困难时有帮助的义务，妻子在丈夫需要时同样也有给付的义务，但实际上由于妇女的经济能力大多低于男性，尤其在农村，这种差距更为明显，因此离婚时要求对方给予帮助的女性比例要远远大于男性。

当一个婚姻关系终结时（无论是协议离婚还是法院判决离婚），婚姻关系一经解除，丈夫和妻子在法律上相互扶助的权利义务已经消灭，双方没有互相扶养的义务，也没有共享婚姻财产的权利，除去可能因子女抚养而涉及子女生活费、教育费的给付以及探望权利的行使外，双方在法律上已无任何特殊的联系。但是，法律却规定在一方生活困难的情况下，另一方应从其住房等个人财产中对另一方给予适当帮助，要求原本不承担义务的一方负担义务，原因何在呢？当一对男女结为合法夫妻，法律推定双方建立了一种相互信赖相互扶助的特殊社会关系，夫妻关系存续期间，双方都为维持这个婚姻共同体作了努力，这其中包括个人的自我损失和自我牺牲；当婚姻关系终结时，若一方生活困难，法律则要求另一方尽到扶助的责任，将道德上的义务上升为法律，因为我们不能排除一方的生活困难可能是为了家庭利益而放弃个人发展机会所造成的。当然在这种情况下，若双方书面约定财产归各自所有，离婚时，为家庭付出较多义务的一方可请求另一方给予补偿。但是这和本条的内容有很大区别。首先，补偿适用于分别财产制下；其次，只有当一方对婚姻承担了较多义务时，才有权提请。而本条适用条件则不同：第一，它不限定于某类特定的财产制；第二，是否对婚姻共同体尽了较多义务，也不是提出请求的必要条件，只要在离婚时存在生活困难的情况，均可向对方请求经济帮助。当然，本条只是原则性规定,法院在判决时,还应考虑到以下几个问题:(一)生活困难的界定:一般认为若一方离婚后分得的财产不足以维持其合理的生活需要,或者不能通过从事适当的工作维持其生活需要等,均可认为是生活困难的体现;(二)给予帮助的方式,法院应考虑双方的收入和财产,双方就业能力、子女抚养,婚姻期间的生活水平等因素,合理确定扶助的数额和方式;(三)需要说明一点的是,婚姻关系中的过错不应在考虑之列,意味着有过错的一方若存在生活困难的情形,也可要求无过错方给予适当经济帮助。

第五章　救助措施与法律责任

本章是新增加的规定，共七条，对重婚，实施家庭暴力、虐待、遗弃家庭成员等规定了法律责任，同时对受害人规定了救助措施。

第四十三条　实施家庭暴力或虐待家庭成员，受害人有权提出请求，居民委员会、村民委员会以及所在单位应当予以劝阻、调解。

对正在实施的家庭暴力，受害人有权提出请求，居民委员会、村民委员会应当予以劝阻；公安机关应当予以制止。

实施家庭暴力或虐待家庭成员，受害人提出请求的，公安机关应当依照治安管理处罚的法律规定予以行政处罚。

【释义】　本条是关于家庭暴力或虐待行为的受害人请求居民委员会、村民委员会以及所在单位和公安机关救助的规定。

近年来，我国家庭暴力问题在一些地方比较突出，因家庭暴力导致离婚和人身伤害案件增多。家庭暴力的直接受害者主要是妇女、儿童和老人，必须明确禁止并严厉打击家庭暴力，加强对受害者的保护和救助。

虐待具体是指以打骂、冻饿、捆绑、强迫超体力劳动、限制自由、凌辱人格等各种方法，从肉体、精神上迫害、折磨、摧残共同生活的家庭成员的行为。虐待行为区别于偶尔打骂或者偶尔的体罚行为的明显特点是，虐待行为往往是经常甚至一贯进行的，具有相对连续性。

对实施家庭暴力或虐待家庭成员的，受害人有权提出请求，居民委员会、村民委员会以及所在单位应当予以劝阻、调解。1990年施行的城市居民委员会组织法规定,居民委员会是居民自我管理、自我教育、自我服务的基层群众性自治组织。居民委员会的任务包括:(一)宣传宪法、法律、法规和国家的政策,维护居民的合法权益,教育居民履行依法应尽的义务,爱护公共财产,开展多种形式的社会主义精神文明建设活动;(二)办理本居住地区居民的公共事务和公益事业;(三)调解民间纠纷;(四)协助维护社会治安;(五)协助人民政府或者它的派出机关做好与居民利益有关的公共卫生、计划生育、优抚救济、青少年教育等项工作;(六)向人民政府或者它的派出机关反映居民的意见、要求和提出建议。1998年公布施行的村民委员会组织法规定,村民委员会是村民自我管理、自我教育、自我服务的基层群众性自治组织。村民委员会的任务包括办理本村的公共事务和公益事业,调解民间纠纷,协助维护社会治安,向人民政府反映村民的意见、要求和提出建议等。因此,居民或者村民如果遭受家庭暴力或者家庭成员的虐待,当然地可以向居民委员会或者村民委员会反映情况,要求帮助。居民委员会或者村民委员会也应当利用熟悉当事人生活情况的优势,尽力化解矛盾,排遣纠纷,保护受害人的权益,在职责和权限的范围内,充分履行法律规定的任务。

对正在实施的家庭暴力,受害人有权提出请求,居民委员会、村民委员会应当予以劝阻。对正在实施的家庭暴力,公安机关应当履行职责,予以制止。

实施家庭暴力或虐待家庭成员,受害人提出请求的,公安机关应当依照治安管理处罚的法律规定予以行政处罚。治安管理处罚条例第二十二条规定,虐待家庭成员属于侵犯他人人身权利行为,如果尚不够刑事处罚,处十五日以下拘留、二百元以下罚款或者警告,但前提是受虐待人要求处理。

第四十四条　对遗弃家庭成员，受害人有权提出请求，居民委员会、村民委员会以及所在单位应当予以劝阻、调解。

对遗弃家庭成员，受害人提出请求的，人民法院应当依法作出支付扶养费、抚养费、赡养费的判决。

【释义】　本条是关于遗弃行为的受害人请求居民委员会、村民委员会以及所在单位和人民法院救助的规定。

遗弃是指有抚养义务的人对年老、年幼、患病或者其他没有独立生活能力的人，拒绝抚养的行为。

在婚姻法中，关于抚养义务有以下几方面的规定：

1. 夫妻有互相扶养的义务。一方不履行扶养义务时，需要扶养的一方，有要求对方付给扶养费的权利。

2. 父母对子女有抚养教育的义务；子女对父母有赡养扶助的义务。父母不履行抚养义务时，未成年的或不能独立生活的子女，有要求父母付给抚养费的权利。子女不履行赡养义务时，无劳动能力的或生活困难的父母，有要求子女付给赡养费的权利。

3. 有负担能力的祖父母、外祖父母，对于父母已经死亡或父母无力抚养的未成年的孙子女、外孙子女，有抚养的义务。有负担能力的孙子女、外孙子女，对于子女已经死亡或子女无力赡养的祖父母、外祖父母，有赡养的义务。

4. 有负担能力的兄、姐，对于父母已经死亡或父母无力抚养的未成年的弟、妹，有扶养的义务。由兄、姐扶养长大的有负担能力的弟、妹，对于缺乏劳动能力又缺乏生活来源的兄、姐，有扶养的义务。

有抚养义务而拒绝履行抚养义务，就会使被抚养人得不到经济上的保障或者生活上的必要照顾和帮助，健康甚至生命受到威胁和损害。

对遗弃家庭成员的，受害人有权提出请求，居民委员会、村民委员会以及所在单位应当予以劝阻、调解，提供救助。

对遗弃家庭成员,受害人还可以向人民法院提起诉讼,要求支付扶养费、抚养费、赡养费,其法律依据就是前面介绍的婚姻法中的相关规定。人民法院应当依法作出支付扶养费、抚养费、赡养费的判决。

关于这两条,婚姻法修正草案曾经规定,实施家庭暴力或虐待家庭成员,受害人提出请求的,居民委员会、村民委员会以及所在单位应当予以调解。对正在实施的家庭暴力,受害人提出请求的,居民委员会、村民委员会应当予以劝阻;公安机关应当予以制止。对遗弃家庭成员,受害人提出请求的,居民委员会、村民委员会以及所在单位应当予以调解。后来考虑到,虽然一般地说家庭暴力以及虐待、遗弃等行为属于家庭纠纷,先由受害人提出请求,有关部门和单位再提供救助较为妥当。但是,对于比较严重的侵害以及有可能导致严重后果的行为,有关部门和单位主动地提供救助,既有利于更有效地保护受害人,又可以及时化解纠纷,避免矛盾激化。因此最终按现在的写法对草案作出了修改。同时应当注意,公安机关对虐待家庭成员的予以行政处罚,以及人民法院作出支付扶养费、抚养费、赡养费的判决,依照有关法律规定,都要以受害人提出请求、要求处理为前提。

第四十五条　对重婚的,对实施家庭暴力或虐待、遗弃家庭成员构成犯罪的,依法追究刑事责任。受害人可以依照刑事诉讼法的有关规定,向人民法院自诉;公安机关应当依法侦查,人民检察院应当依法提起公诉。

【释义】　本条是关于对重婚、家庭暴力、虐待和遗弃行为追究刑事责任的规定。

刑法对重婚罪及其处罚作了规定:“有配偶而重婚的,或者明知他人有配偶而与之结婚的,处二年以下有期徒刑或者拘役。”刑法对于重婚罪具体规定了两种行为:一是“有配偶而重婚”,指已经结婚的男女双方，在婚姻关系存续期间，任何一方又与他人结婚；二是“明知他人有配偶而与之结婚”，是指没有配偶的人，明知他人有配偶而仍然与之结婚。重婚罪是故意犯罪，如果行为人受到欺骗，不知道对方已有配偶而与之结婚的，则不构成重婚罪。刑法和司法解释所规定的“结婚”，既包括骗取合法手续登记结婚，又包括虽未登记结婚，但以夫妻名义共同生活。只要是有配偶而又结婚，或者是明知他人有配偶而与之结婚的，无论是骗取合法手续登记结婚，还是未登记结婚，但以夫妻名义共同生活的，都构成重婚罪。

刑法规定：“虐待家庭成员，情节恶劣的，处二年以下有期徒刑、拘役或者管制。”虐待家庭成员必须是情节恶劣的才能构成犯罪。“情节恶劣”是能否构成犯罪的重要界限，具体是指虐待的动机卑鄙、手段凶残；虐待年老、年幼、病残的家庭成员；或者长期虐待家庭成员屡教不改等等。刑法还规定，犯虐待罪，“致使被害人重伤、死亡的，处二年以上七年以下有期徒刑。”“致使被害人重伤、死亡”是指被害人由于经常地受到虐待，身体和精神受到严重的损害，或者直接导致死亡，或者因不堪忍受而自杀。关于虐待罪，有一点要注意：根据刑法的规定，对于虐待罪，在没有致使被害人重伤、死亡的情况下，告诉的才处理。“告诉的才处理”，是指对于某些特定的犯罪，如这里所说的未致使被害人重伤、死亡的虐待犯罪，法律规定只能由被害人或者他的法定代理人向人民法院控告，由人民法院受理，如果被害人和他的法定代理人不告，则不予受理。这是因为，对这些特定的犯罪行为的刑事追究或者对行为人的处理往往涉及被害人的利益，而且这些犯罪行为也有妥善处理的条件，特别是有的矛盾经过说服、调解，被害人与行为人之间会达成妥协、谅解，所以法律允许被害人权衡利弊，作出是否提起刑事诉讼的决定。同时刑法还规定，如果被害人受强制、威吓无法告诉的，人民检察院和被害人的近亲属也可以告诉。“受强制”是指受到暴力的压制，如被捆绑、拘禁等。“威吓”是指被害人受到恐吓、威胁以至于不敢向司法机关提出控告。“被害人的近亲属”是指被害人的父母、子女、配偶、同胞兄弟姊妹；在实践中，因被害人受到强制或者威吓而不敢自己去告诉时，其邻居或亲朋好友也可以代被害人向司法机关提出控告。被害人受到强制、威吓无法向司法机关提出控告的，是违背被害人意志的，也说明行为人的主观恶性比较大，这时被害人的近亲属可以直接向人民法院，或者由人民检察院代被害人向人民法院告诉，由人民法院依法处理。

刑法还规定了遗弃罪："对于年老、年幼、患病或者其他没有独立生活能力的人，负有抚养义务而拒绝抚养，情节恶劣的，处五年以下有期徒刑、拘役或者管制。"根据刑法的规定，遗弃行为必须情节恶劣才能构成犯罪。“情节恶劣”主要是指遗弃行为造成了被害人重伤、死亡等严重后果；行为人有遗弃行为屡教不改；遗弃行为的手段、具体情节特别恶劣等。

当事人受到本条规定的犯罪的侵害，可以依照刑事诉讼法的有关规定，向人民法院自诉。自诉是指由被害人或者其法定代理人行使控诉权，直接向法院提起诉讼的控诉形式。依照刑事诉讼法的规定，自诉案件包括下列案件：（一）告诉才处理的案件；（二）被害人有证据证明的轻微刑事案件；（三）被害人有证据证明对被告人侵犯自己人身、财产权利的行为应当依法追究刑事责任，而公安机关或者人民检察院不予追究被告人刑事责任的案件。这其中第一项“告诉才处理的案件”包括前面讲到的没有致使被害人重伤、死亡的虐待案；第二项“被害人有证据证明的轻微刑事案件”包括重婚案和遗弃案；第三项涉及的一般是较重的刑事案件，比如致使被害人重伤、死亡的虐待案，本属公安机关和人民检察院立案侦查并需要由人民检察院提起公诉，但公安机关和人民检察院不予追究，则法律规定控诉权可以由被害人行使，但被害人提起自诉必须“有证据证明”。

对于本条规定的应当依法追究刑事责任的犯罪行为，公安机关应当依法侦查。在刑事诉讼中，公安机关依法行使侦查权，主要负责对刑事案件进行侦查、拘留、执行逮捕和预审，并在侦查终结后，依法提出起诉意见，移送同级人民检察院审查决定。对本条涉及的案件，不属于自诉范围的，公安机关应当依法进行侦查。对于属于自诉范围，被害人直接向人民法院起诉后，人民法院对于其中证据不足、可由公安机关受理的，应当移送公安机关立案侦查。公安机关应当依法立案侦查。如果被害人没有直接向人民法院起诉，而向公安机关控告的，公安机关也应当受理。

公安机关侦查终结后，人民检察院应当依法提起公诉。提起公诉，是指人民检察院对公安机关侦查终结的案件进行审查后，根据已查明的犯罪事实和证据，认为犯罪嫌疑人构成犯罪并依法应当受到刑事处罚时，将该案件移送有管辖权的人民法院，提请对刑事被告人进行审判，以实现国家刑罚权的诉讼活动。公诉权由人民检察院统一行使。

第四十六条　有下列情形之一，导致离婚的，无过错方有权请求损害赔偿：

（一）重婚的；

（二）有配偶者与他人同居的；

（三）实施家庭暴力的；

（四）虐待、遗弃家庭成员的。

【释义】　本条是关于离婚时过错赔偿制度的规定。

确立过错赔偿制度有利于制裁实施重婚、姘居、家庭暴力等行为的有过错当事人，保护无过错方的权益。最高人民法院的司法解释中规定有离婚分割财产时应当照顾无过错方的内容。国外也有类似的规定，如法国民法典规定，“如果离婚的过错全在夫或妻的一方，则该方得被判赔偿损害，以补偿他方因解除婚姻而遭受的物质或精神损失”。

关于本条内容，在立法中有一个变化的过程。2000 年 10 月九届全国人大常委会第十八次会议审议的婚姻法修正案草案的规定是：“因一方重婚、实施家庭暴力或以其他行为虐待家庭成员、或遗弃家庭成员而导致离婚的，无过失方有权请求损害赔偿。”有些同志提出，婚外同居行为也应当构成过错赔偿的理由。2000 年 12 月九届全国人大常委会第十九次会议审议的婚姻法修正草案将这一规定修改为：“因一方重婚或即使不以夫妻名义但形成婚外同居关系、实施家庭暴力或以其他行为虐待家庭成员、或遗弃家庭成员而导致离婚的，无过失方有权请求损害赔偿。”最后又修改为本条的规定。

离婚时的过错赔偿涉及对多种损害的赔偿。因一方重婚或有配偶者与他人同居而导致离婚的，主要涉及对精神损害的赔偿。实施家庭暴力或虐待、遗弃家庭成员会涉及人身伤害，还可能发生财产损害，受害人都可以请求赔偿。

第四十七条　离婚时，一方隐藏、转移、变卖、毁损夫妻共同财产，或伪造债务企图侵占另一方财产的，分割夫妻共同财产时，对隐藏、转移、变卖、毁损夫妻共同财产或伪造债务的一方，可以少分或不分。离婚后，另一方发现有上述行为的，可以向人民法院提起诉讼，请求再次分割夫妻共同财产。

人民法院对前款规定的妨害民事诉讼的行为，依照民事诉讼法的规定予以制裁。

【释义】　本条是对离婚时隐藏、转移、变卖、毁损夫妻共同财产或伪造债务企图侵占他方财产的一方应该承担的法律责任的规定。该条是此次修改新增加的规定。

本条第一款是对离婚时隐藏、转移、变卖、毁损夫妻共同财产或伪造债务企图侵占另一方财产的一方应少分或不分夫妻共同财产以及离婚后发现上述行为如何解决的规定。

这一款规定的违法行为侵犯的对象是夫妻共同财产。夫妻共同财产主要指夫妻双方在婚姻关系存续期间所得的财产，即从男女登记结婚之日起，到夫妻离婚或配偶一方死亡时为止，这一特定期间内夫妻所得的财产。依据本法第十七条的规定，夫妻共同所有的财产包括：（1）工资、奖金；（2）生产、经营的收益；（3）知识产权的收益；（4）继承或赠与所得的财产，但遗嘱或赠与合同中确定只归夫或妻一方的财产除外；（5）其他应当归共同所有的财产。另外，本法第十九条还规定了夫妻可以约定婚姻关系存续期间所得的财产以及婚前财产归夫妻共同所有。

夫妻共同财产从性质上说，属于共同共有。夫妻在婚姻关系存续期间，无论属于双方或一方的收入，无论各自收入的数量多少，也无论其中一方有无收入，夫妻作为共同生活的伴侣，对共同财产享有平等的所有权。对共同财产，夫妻双方均有依法占有、使用、收益和处分的权利。如妇女权益保障法中规定，妇女对依照法律规定的夫妻共同财产享有与其配偶平等的占有、使用、收益和处分的权利，不受双方收入状况的影响。在共有关系消灭之前，财产权利是一个整体，只有在婚姻关系消灭（离婚或一方死亡）或双方有特别约定时，才能对共同财产进行分割。

处分权是所有权的最高表现，如果没有平等的处分权，平等的所有权就是一句空话。所以，本法第十七条规定，夫妻对共同所有的财产，有平等的处理权。所谓平等的处理权，依照民法关于共同共有的原理，是指夫妻在处分共同财产时，应当平等协商，取得一致意见，任何一方不得违背他方的意志，擅自处理。特别是对共有财产作较大的变动时，如出卖、赠与等，更应征得他方的同意，否则就侵犯了另一方对共有财产的所有权。根据有关司法解释的规定，在共同共有关系存续期间，部分共有人擅自处分共有财产的，一般认定无效。如果对其他共有人造成损失，由擅自处分共有财产的人赔偿。因此,离婚时隐藏、转移、变卖、毁损夫妻共同财产,或伪造债务企图侵占另一方财产的行为,是一种侵犯共同财产所有权的民事侵权行为。

隐藏、转移、变卖、毁损夫妻共同财产,或伪造债务是违法行为的客观表现。隐藏是指将财产藏匿起来,不让他人发现,使另一方无法获知财产的所在从而无法控制。转移是指私自将财产移往他处,或将资金取出移往其他账户,脱离另一方的掌握。变卖是指将财产折价卖给他人。毁损是指采用打碎、拆卸、涂抹等破坏性手段使物品失去原貌,失去或者部分失去原来具有的使用价值和价值。伪造债务是指制造内容虚假的债务凭证,包括合同、欠条等,并将所涉共同财产据为己有。

上述违法行为,在主观上只能是故意,不包括过失行为,如因不慎将某些共同财产毁坏,只要没有故意,不属于本条规定之列。另外,必须以侵占另一方财产为目的。一方实施上述行为,就是要将本应属于夫妻共同财产的这部分财产据为己有。

本条所称离婚时,是指离婚诉讼期间,即从起诉到执行终结的期间。

对隐藏、转移、变卖、毁损夫妻共同财产,或伪造债务的一方,在分割夫妻共同财产时,可以少分或不分。一方隐藏、转移、变卖、毁损夫妻共同财产或伪造债务企图侵占他方财产,侵犯了另一方对共有财产的所有权,应承担相应的法律责任。

关于离婚时夫妻共同财产的分割,由于共同财产属于共同共有的性质,依照民法理论,原则上应均等分割。该款中所指可以少分或者不分的夫妻共同财产主要是指被隐藏、转移、变卖、毁损的或者伪造的债务侵占的那一部分财产,而不是夫妻共同财产的全部。对少分的具体份额或比例以及在何种情况下可以不分,法律并没有明确规定,只是规定了“可以”少分或者不分。法院在审判实践中,应当根据违法行为的情节和案件的具体情况作出处理。

该规定同婚姻法规定的在分割共同财产时应照顾子女和女方权益的原则是否矛盾呢？照顾子女和女方权益原则的确定，是由我国目前广大妇女的经济能力和男子仍有一定差距的国情决定的，同时也是宪法关于保护妇女、儿童合法权益原则和我国社会主义制度优越性在婚姻法上的具体体现。当然，在现实生活中，也不排除有女方实施上述违法行为的可能；如果出现，也应当依照本款规定处理。两者没有矛盾，并行不悖。

该款还对离婚后，即离婚案件已审理终结，人民法院的有关财产分割的调解书、判决书已发生法律效力后，又发现有隐藏、转移、变卖、毁损或伪造债务侵占另一方财产行为的处理作了规定。在离婚案件审理过程中，这部分共同财产由于被一方隐藏、转移、变卖、毁损，或伪造债务所侵占而未能发现，因而法院也未能将其作为夫妻共同财产予以分割。夫妻共同财产是共同共有财产，任何一方未经另一方同意而擅自予以隐藏、转移、变卖、毁损，或通过伪造债务等非法手段据为己有的，都是对另一方财产所有权的侵害，是一种民事侵权行为。另一方可以依据本条规定，向人民法院起诉，请求对这一部分财产进行再次分割。在分割时，关于对隐藏、转移、变卖、毁损夫妻共同财产或伪造债务的一方可以少分或者不分的原则仍应适用。

本条第二款是对实施第一款规定的妨害民事诉讼的行为，依照民事诉讼法的规定予以制裁的规定。

对妨害民事诉讼的行为采取强制措施，就是因为这些行为干扰或者破坏诉讼秩序，使诉讼不能顺利进行。为维持诉讼秩序，制止妨害诉讼的行为，保证诉讼的顺利进行，应当对妨害诉讼的行为采取强制措施。根据有关司法解释，在法律文书发生法律效力后隐藏、转移、变卖、毁损财产，造成人民法院无法执行的以及在人民法院执行完毕后，被执行人或者其他人对已执行的标的有妨害行为的，法院应当采取措施，排除妨害，并可以依照民事诉讼法的有关规定处理。

民事诉讼法对妨害民事诉讼的行为规定了制裁措施，对隐藏、转移、变卖、毁损财产等妨害民事诉讼的行为，人民法院可以根据情节轻重予以罚款、拘留；构成犯罪的，依法追究刑事责任。

罚款是指人民法院对妨害民事诉讼的行为人（公民或法人和其他组织）所采取的强令其在指定期间内缴纳一定数额金钱的强制措施。罚款的金额，对个人为人民币一千元以下，对单位为人民币一千元以上三万元以下。拘留又称司法拘留，是指人民法院对妨害民事诉讼情节严重的行为人予以强行关押，在一定期限内限制其人身自由的强制措施。拘留的期限为十五日以下。被拘留的人，由人民法院交当地公安机关看管。在拘留期间，被拘留人承认并改正错误的，人民法院可以决定提前解除拘留。采取罚款或拘留的强制措施，必须经法院院长批准，并由人民法院出具罚款决定书和拘留决定书。罚款、拘留可以单独适用，也可以合并适用。行为人对罚款和拘留决定不服的，可以向上一级人民法院申请复议一次，上级人民法院应在收到复议申请后五日内作出决定，并将复议结果通知下级人民法院和当事人。复议期间不停止决定的执行。

关于刑事责任，我国刑法第三百一十四条规定，隐藏、转移、变卖、故意毁损已被司法机关查封、扣押、冻结的财产，情节严重的，处三年以下有期徒刑、拘役或者罚金。该条主要是针对行为人的行为严重妨害了诉讼的正常进行或者使国家、集体、公民的利益遭受了重大损失的情况。

第四十八条　对拒不执行有关扶养费、抚养费、赡养费、财产分割、遗产继承、探望子女等判决或裁定的，由人民法院依法强制执行。有关个人和单位应负协助执行的责任。

【释义】　本条是对拒不执行有关扶养费、抚养费、赡养费、财产分割、遗产继承、探望子女等判决或裁定应承担的法律责任的规定。该条是在原婚姻法第三十五条的基础上作了修改,在判决或裁定的种类上增加了“探望子女”,在协助执行的责任主体中增加了“个人”。

本条所规定的有关扶养费、抚养费、赡养费、财产分割、遗产继承、探望子女等判决或裁定,是指已生效的判决或裁定,包括已过上诉期没有上诉的一审判决或裁定和终审的判决或裁定。判决是人民法院经过审理依法作出的确定当事人之间民事权利义务关系或者确认民事法律关系的具有法律约束力的决定,是对民事实体问题的处理。裁定则是人民法院对案件审理过程中所发生的程序问题作出的决定。判决书和裁定书是人民法院行使国家审判权的表现形式,具有严肃性和权威性,发生法律效力后,义务人就应当自觉履行判决、裁定确定的义务,如果拒不履行,人民法院予以强制执行。

被执行人必须有拒不执行人民法院判决或裁定的行为。拒不执行一般是指采用欺骗等恶劣手段不执行判决或裁定,或经过人民法院做工作后仍然不执行判决或裁定的行为。在司法实践中,对于判决或裁定,绝大多数当事人是能够自觉执行的,但仍有少数人有意藐视法律,采取欺骗等方法,转移资金,转移财产所有权,或将执行物隐藏起来等,致使人民法院无法执行。对这些人必须采取必要的民事强制执行措施,情节严重的还要依法追究其刑事责任,以维护法律的严肃性。

对人民法院强制执行的措施以及有关个人和单位协助执行责任,我国民事诉讼法作了具体规定。

1. 查询、冻结、划拨被执行人存款。在实践中,有些被执行人不按执行通知履行法律文书确定的义务,并隐瞒在银行的存款,使执行工作难以进行。因此,民事诉讼法规定,被执行人未按执行通知履行法律文书确定的义务,人民法院有权向银行、信用合作社和其他有储蓄业务的单位查询被执行人的存款情况,有权冻结、划拨被执行人的存款。银行、信用合作社和其他有储蓄业务的单位必须办理。冻结是人民法院发出协助执行通知书,请有关银行、信用合作社或者其他有储蓄业务的单位冻结被执行人的存款,不准提取或转移。划拨是指银行、信用合作社和其他有储蓄业务的单位,根据人民法院发出的协助执行通知书,把被执行人账户上的存款转到申请人或者法院的账户上。但查询、冻结、划拨存款不得超过被执行人应当履行义务的范围。人民法院决定冻结、划拨被执行人存款时,应当作出裁定,并向有关银行、信用合作社和其他有储蓄业务的单位发出协助执行通知书,说明冻结、划拨存款的理由、数额、时间等。协助人民法院执行冻结、划拨被执行人的存款是有关单位必须履行的义务,因此,接到通知的单位,必须按照通知书的内容办理,不得以任何借口推脱、拒绝。民事诉讼法规定,银行、信用合作社和其他有储蓄业务的单位接到人民法院协助执行通知书后,拒不执行查询、冻结或者划拨存款的,人民法院除责令其履行其协助义务外,还可以予以罚款,对单位的主要负责人或者直接责任人员也可以予以罚款,还可以向监察机关和有关机关提出予以纪律处分的建议。

2. 扣留、提取被执行人应当履行义务部分的收入。被执行人未按执行通知履行法律文书确定的义务,也没有储蓄存款可供执行,其他财产又不宜变卖,在这种情况下,人民法院有权扣留、提取被执行人应当履行义务部分的收入。被执行人所在单位、银行、信用合作社和其他有储蓄业务的单位必须办理。这种措施主要针对被执行人是公民个人的情形。劳动收入是被执行人的生活来源,不同于存款,关系到其自身及其所抚养家属的切身利益。因此,人民法院在扣留、提取被执行人收入时,应当为被执行人及其所抚养的家属保留生活必需品。采取此措施,必须得到被执行人工作或劳动所在单位的协助。因此,人民法院决定扣留、提取被执行人收入时，应当作出裁定，并发出协助执行通知书，接到通知书的被执行人所在单位、银行、信用合作社和其他有储蓄业务的单位必须按照通知书的内容办理，并将扣留、提取的被执行人的收入转交申请执行人或者人民法院。

3. 查封、扣押、冻结、拍卖、变卖被执行人应当履行义务部分的财产。这种强制措施主要是在被执行人未按执行通知履行法律文书确定的义务，而又有可供执行的财产的情况下采取。查封是一种临时性的执行措施，是指对被执行人的财产进行清点，加贴人民法院封条，不准任何人转移和处理。被查封的财产，执行人员可以指定被执行人负责保管，被执行人拒绝保管或者保管不善造成损失，由其自行承担责任。如果被查封财产由其他单位或者个人保管，费用由被执行人负担。扣押是把被执行人的财产运到另外场所，予以扣留，避免被执行人对该财产占有、使用和处分。被扣押的财产可以由人民法院保管，也可以由有关单位和个人保管，费用由被执行人负担。冻结是指人民法院通知银行、信用合作社和其他有储蓄业务的单位，保证被执行人不能提取或者转移、处分其存款。拍卖、变卖是对被执行人财产的强制出卖，往往在查封、扣押的基础上进行。即人民法院查封、扣押财产后，执行人员应当责令被执行人在指定期间履行义务，如果被执行人逾期不履行义务，人民法院可以依照规定将被查封、扣押的财产交有关部门拍卖或者变卖。当然，人民法院也可以不经查封、扣押，直接对被执行人的财产进行拍卖、变卖。变卖是将财产交有关商业部门代卖，或者交信托部门收购。拍卖是按照一定的程序公开叫卖，以最高价卖出的一种买卖形式。

查封、扣押、冻结、拍卖、变卖被执行人财产，是对当事人财产的直接处分，会给被执行人的生产、生活及其所抚养的家属的生活带来重大影响。因此，采取这些措施时，人民法院应当作出裁定。查封、扣押、冻结、拍卖、变卖被执行人财产应为被执行人应当履行义务部分的财产,同时,还应当保留被执行人及其所抚养家属的生活必需品,以保证其生存。

为了保证被执行人的利益,人民法院查封、扣押被执行人财产时,被执行人是公民的,人民法院应当通知被执行人到场,被执行人不能到场的,可以通知其成年家属到场;被执行人是法人或者其他组织的,人民法院应当通知其法定代表人或者主要负责人到场。如果以上人员接到通知后拒不到场,不影响人民法院的执行工作。此外,人民法院在查封、扣押财产时,被执行人是公民的,其工作单位或者财产所在地的基层组织,如居民委员会、村民委员会等应派人参加。

为防止财产丢失并避免出现新的纠纷,人民法院执行人员对被查封、扣押的财产,必须造具清单,一式两份,详细记载被查封、扣押财产的名称、数量、质量、特征等,由在场人员即执行人员、被执行人或者其成年家属、法定代表人或者单位主要负责人、当地基层组织的代表签名或者盖章,交被执行人或者其成年家属、法定代表人或单位主要负责人一份,另一份由人民法院附卷保存。

4. 搜查被执行人及其住所或财产隐匿地。实践中,某些被执行人明明有财产,却将财产隐匿起来,谎称无钱还债,使执行工作难以展开。对此,民事诉讼法规定,被执行人未按执行通知履行法律文书确定的义务,并隐匿财产的,人民法院有权发出搜查令,对被执行人及其住所或财产隐匿地进行搜查。

对被执行人的搜查,是指对被执行人的人身进行搜查,防止某些被执行人将财物隐藏在身上,抗拒执行。对住所搜查,主要指对被执行人的户籍所在地和经常居住地搜查,也可以是对被执行人的现时所住的地方搜查。对财产隐匿地的搜查,是指根据线索对可能隐藏财产的地点进行搜查。由于搜查是一种严厉的执行措施,采取该项措施必须特别慎重,必须由法院院长签发搜查令方可进行。

5. 强制被执行人及有关单位、公民交付法律文书指定交付的财物或者票证。人民法院的判决、裁定、调解书以及应当由人民法院执行的其他法律文书，指定一方当事人交付财物或者票证的，如果当事人不交付，执行人员应当责令该当事人按照法律文书的规定执行。采取这种措施有两种办法：一是执行人员传唤双方当事人同时到场，让双方当事人当面交付财物或者票证，并记入笔录。二是在双方当事人不愿意或者不愿当面交付时，由被执行人将财物或者票证交给执行人员，经执行人员转交给被交付人，被交付人应当开具收条，以作凭证。

如果法律文书指定交付的财物或者票证，由有关单位持有，人民法院应当通知有关单位协助执行，把其所持有的财物或者票证交给被交付人，被交付人应当签收。如果法律文书指定的财物或者票证被当事人以外的公民持有，人民法院应当通知持有人交出，拒不交出的，强制执行。

6. 强制迁出房屋或者强制退出土地。生效的法律文书确定房屋占有人迁出房屋、土地占有人退出土地的，房屋占有人、土地占有人必须履行。如不履行，将给对方当事人的合法权益或者社会公共利益造成损害。采取这种措施时，应由人民法院院长签发公告，限定期限，责令被执行人在指定的期间履行。被执行人逾期不履行的，由执行人员强制执行。强制执行时，被执行人是公民的，被执行人的工作单位或者房屋、土地所在地的基层组织应当派人参加，人民法院还应当通知被执行人或者他的成年家属到场；被执行人是法人或者其他组织的，应当通知其法定代表人或者主要负责人到场。应当到场的当事人拒不到场，不影响执行。执行人员应当将强制执行的情况记入笔录，搬迁的财物要详细记载，避免被执行人的合法利益受到损害，或者因此可能产生的纠纷。笔录由在场的执行人员、被执行人或者他的成年家属，以及其他在场人员签名或者盖章。

人民法院应当依照民事诉讼法的规定,派人把强制迁出房屋被搬出的财物,运至指定的处所,交给被执行人接收。被执行人是公民的,也可以交给他的成年家属。因拒绝接收而造成的损失,由被执行人承担。

7. 强制被执行人执行或者委托有关单位或者其他人完成法律文书指定的行为。人民法院作出的生效法律文书,有的要求当事人履行某种行为,如修缮房屋、拆除违章建筑等。如果被执行人不按人民法院的执行通知履行义务,人民法院可以强制执行,或者委托有关单位或者其他人完成。如某公民不履行拆除违章建筑的判决,法院可以自行拆除,也可以委托房管部门拆除,或者由申请执行人拆除,因完成这一行为所支出的费用,由被执行人承担。

在执行过程中,有时需要办理有关财产权证照转移手续,如迁入、迁出户口,汽车过户,房屋产权转移手续等。在这种情况下,需要得到有关单位的协助。人民法院应当根据民事诉讼法的规定,向有关单位发出协助执行通知书,明确协助执行的具体内容、期限等。有关单位接到通知后即负有协助执行的义务,必须按照通知的内容办理,不得推诿、拒绝。对不协助办理证照转移手续的,人民法院除责令其履行协助义务外,还可以向监察机关和有关机关提出予以纪律处分的建议。

除上述民事诉讼法规定的对于动产、不动产等执行标的的具体执行措施外,还规定了一些对所有执行标的都适用的执行措施和制度。

1. 责令支付迟延履行期间的债务利息、迟延履行金制度。在实践中,某些被执行人认为,能晚一些还债,自己就能多利用一天资金,多享一分利益,甚至抱着侥幸的心理,认为能拖一天是一天,或许能把债务拖没了。由于他们迟迟不履行法律文书确定的义务,给权利人造成很大的损失。民事诉讼法规定,被执行人未按判决、裁定和其他法律文书指定的期间履行给付金钱义务的,应当加倍支付迟延履行期间的债务利息。责令被执行人支付延期利息，主要适用于执行金钱债务的案件。对被执行人未按判决、裁定和其他法律文书指定的期间履行其他义务的，应当支付迟延履行金。如没有按法律文书的规定交出财物或者票证，没有按法律文书的规定迁出房屋、退出土地等。迟延履行金的数额，由人民法院根据案件的不同情况加以确定。

2. 继续履行债务。实践中，某些当事人明明有履行义务的能力，却谎称没钱，企图赖掉债务；也有的被执行人确实是一时经济状况不好，无力还钱。对此，民事诉讼法一方面规定了企业破产还债程序，将无力还债企业法人的债务清偿通过破产程序解决；另一方面，在执行程序中规定，人民法院在采取冻结、划拨被执行人的银行存款，扣留、提取被执行人的收入，查封、冻结、扣押、拍卖、变卖被执行人的财产等项措施后，被执行人仍不能履行法律文书确定的义务的，应当由其继续履行义务。如果债权人发现被执行人有其他财产的，可以随时请求人民法院执行。对于权利人来说，只要生效法律文书确定的权利没有完全实现，其申请权利就可以依法保留，随时可以请求人民法院执行；对于被执行人来说，其应当履行的义务不因采取了强制措施而终结，只要还有剩余债务存在，就要负责清偿，直到全部清偿完毕。

采取强制执行措施，一般应由权利人向有管辖权的人民法院提出申请。申请书应写明执行根据、理由以及被执行人的经济状况。申请须在执行时效内提出。根据民事诉讼法的规定，申请执行的期限，双方或者一方当事人是公民的为一年，双方是法人或者其他组织的为六个月。但对于某些判决或裁定则应由审理该案的审判人员将案件直接交付执行人员执行，即移送执行。移送执行是指人民法院审判人员根据案情依法将生效的判决、裁定交付执行组织执行。移送执行案件的范围，法律没有明文规定。根据有关司法解释，本条中的有关扶养费、抚养费、赡养费的判决或裁定即属于此类案件。因为这类案件与执行权利人的生活密切相关，被执行人如不及时履行义务，将会使权利人难以甚至无法维持生活。同时，这类案件的权利人一般自我保护能力较弱，不便申请执行。

协助执行是指实施执行措施的人民法院通知有关单位或者个人协助执行生效的法律文书所确定的内容的一种方式。这些单位或者个人掌握着被执行人的财产或者收入或者担负着某种职责，执行时，没有他们的协助，法院便不能完成执行任务。有关单位的协助执行，如前面有关执行措施中所述，主要是银行、信用社等单位冻结、划拨被执行人的存款；办理房产证、土地证、山林所有权证、车辆执照等财产证照转移手续的部门办理财产权证转移手续；被执行人所在单位的财务部门扣交被执行人的工资或其他收入等。公民的协助执行，主要是指交出被执行人存放在该处的钱、物、证券、车辆等。

协助执行是有关单位和个人根据法律规定和法院的协助执行通知书负有的法定义务，违反此项义务，要承担相应的法律后果。民事诉讼法规定，诉讼参与人或者其他人拒不执行人民法院已经发生法律效力的判决、裁定的，人民法院可以根据情节轻重予以罚款、拘留；构成犯罪的，依法追究刑事责任。有义务协助执行的单位拒绝协助执行的，人民法院除责令其履行协助义务外，并可以予以罚款；可以对其主要负责人或者直接责任人员予以罚款，还可以向监察机关或者有关机关提出予以纪律处分的司法建议。对个人罚款的金额，为人民币一千元以下，对单位为人民币一千元以上三万元以下。拘留的期限为十五日以下。我国刑法同时也规定了拒不执行判决、裁定罪，即对人民法院的判决、裁定有能力执行而拒不执行，情节严重的，处三年以下有期徒刑、拘役或者罚金。

第四十九条　其他法律对有关婚姻家庭的违法行为和法律责

任另有规定的，依照其规定。

【释义】 本条是其他法律对有关婚姻家庭的违法行为和法律责任另有规定的，如何适用的规定。该条是在删除了原婚姻法第三十四条后新增加的规定。

原婚姻法没有法律责任一章，只是在第三十四条原则规定，违反本法者，得分别情况，依法予以行政处分或法律制裁。在案件审理中，对违反婚姻法的行为，只能依据其他法律和行政法规处理，如婚姻登记管理条例、治安管理处罚条例、民法通则、刑法等。为了明确违反本法者的法律责任，便于受害者及时得到救助，更好地保护其权利，此次修改专门设立了“救助措施与法律责任”一章，对实施家庭暴力或虐待家庭成员，遗弃家庭成员，重婚以及离婚时隐藏、转移、变卖、毁损夫妻共同财产，或伪造债务企图侵占另一方财产等违法行为，分别情况规定应当承担的民事责任和刑事责任等。但还有一些违反本法的行为，如包办、买卖婚姻和其他干涉婚姻自由的行为，借婚姻索取财物，破坏军婚等，法中并未规定法律责任。对这些行为，需要依照其他法律的规定处罚。

婚姻家庭关系中违法行为涉及的范围很宽，从法律调整的范围上看，包括婚姻关系和家庭关系；从主体上看，包括夫妻之间，父母子女之间，以及其他家庭成员之间；从法律关系的性质上看，包括人身关系和财产关系；从法律关系的具体种类上看，包括抚养、扶养、赡养、继承关系，等等。在法律责任中，又包括了民事责任、刑事责任以及行政处罚等。而且，我国有关婚姻家庭的法律规范，除婚姻法外，还包括民法通则、收养法、继承法、治安管理处罚条例、母婴保健法、未成年人保护法、预防未成年人犯罪法、老年人权益保障法、妇女权益保障法、残疾人保障法以及刑法等法律法规，内容十分复杂。

除本法已有规定外，其他法律对有关婚姻家庭的违法行为和法律责任的规定主要有：

民法通则有关规定。民法通则是调整平等主体的公民之间、法人之间、公民和法人之间的财产关系和人身关系的基本法律,在婚姻家庭中发生的侵犯公民人身权利和财产权利造成财产损失或者其他损失、损害的,可以依照其有关规定追究民事责任。承担民事责任的方式有停止侵害、排除妨碍、消除危险、返还财产、赔偿损失以及赔礼道歉等。如从事买卖婚姻情节严重的,可按有关规定收缴其非法所得;对借婚姻索取财物的,应当责令其返还一部或全部财物;对有一般的打骂、虐待或其他侵权行为的可责令具结悔过,赔礼道歉或予以训诫,必要时可责令其赔偿损失;不履行扶养义务的,可责令其支付扶养费;未成年子女对国家、集体或他人造成人身或财产损害,其父母或者其他监护人应承担赔偿责任;对遗弃被继承人或虐待被继承人等情节严重的,可依法确认其丧失继承权等。其他有关婚姻家庭的违法行为,应当依法赔偿或者承担其他民事责任。

收养法规定,严禁买卖儿童或者借收养名义买卖儿童。借收养名义拐卖儿童的,依法追究刑事责任。遗弃婴儿的,由公安部门处以罚款;构成犯罪的,依法追究刑事责任。出卖亲生子女的,由公安部门没收非法所得,并处以罚款;构成犯罪的,依法追究刑事责任。

继承法规定,故意杀害被继承人,为争夺遗产而杀害其他继承人,遗弃被继承人或者虐待被继承人情节严重的,伪造、篡改或者销毁遗嘱情节严重的,丧失继承权。

《治安管理处罚条例》的有关规定。拒绝、阻碍国家工作人员依法执行职务,未使用暴力、威胁方法,尚不够刑事处罚的,处十五日以下拘留、二百元以下罚款或者警告。非法限制他人人身自由,公然侮辱他人或者捏造事实诽谤他人,尚不够刑事处罚的,处十五日以下拘留、二百元以下罚款或者警告。当然,发生在婚姻家庭中的其他违法行为,只要符合条例的规定,也应依照条例处罚。

母婴保健法规定，未取得国家颁发的有关合格证书，从事婚前医学检查、遗传病诊断、产前诊断或者医学技术鉴定，施行终止妊娠手术，出具本法规定的有关医学证明的，县级以上地方人民政府卫生行政部门应当予以制止，并可以根据情节给予警告或者处以罚款。未取得国家颁发的有关合格证书，施行终止妊娠手术或者采取其他方法终止妊娠，致人死亡、残疾、丧失或者基本丧失劳动能力的，依照刑法故意伤害罪、过失重伤罪的规定处罚。从事母婴保健工作的人员违反本法规定，出具有关虚假医学证明或者进行胎儿性别鉴定的，由医疗保健机构或者卫生行政部门根据情节给予行政处分；情节严重的，依法取消执业资格。

未成年人保护法规定，溺婴的，依照刑法故意杀人罪的规定追究刑事责任。教唆未成年人违法犯罪的，依法从重处罚。

预防未成年人犯罪法的有关规定。未成年人的父母或者其他监护人不履行监护职责，放任未成年人有本法规定的不良行为或者严重不良行为的，由公安机关对未成年人的父母或者其他监护人予以训诫，责令其严加管教。未成年人的父母或者其他监护人违反本法规定，让不满十六周岁的未成年人脱离监护单独居住的，由公安机关对未成年人的父母或者其他监护人予以训诫，责令其立即改正。教唆、胁迫、引诱未成年人实施本法规定的不良行为、严重不良行为，或者为未成年人实施不良行为、严重不良行为提供条件，构成违反治安管理行为的，由公安机关依法予以治安处罚；构成犯罪的，依法追究刑事责任。

老年人权益保障法规定，老年人与家庭成员因赡养、扶养或者住房、财产发生纠纷，可以要求家庭成员所在组织或者居民委员会、村民委员会调解，也可以直接向人民法院起诉。调解纠纷时，对有过错的家庭成员，应当给予批评教育，责令改正。暴力干涉老年人婚姻自由或者对老年人有赡养义务、扶养义务而拒绝赡养、扶养，情节严重构成犯罪的，依法追究刑事责任。家庭成员有盗窃、诈骗、抢夺、勒索、故意毁坏老年人财物，情节较轻的，依照治安管理处罚条例的有关规定处罚；构成犯罪的，依法追究刑事责任。

刑法的有关规定。有关婚姻家庭的违法行为，如果情节严重，构成犯罪的，应依照刑法的有关规定予以处罚。以暴力干涉他人婚姻自由的，处二年以下有期徒刑或者拘役。致使被害人死亡的，处二年以上七年以下有期徒刑。明知是现役军人的配偶而与之同居或者结婚的，处三年以下有期徒刑或者拘役。拐骗不满十四周岁的未成年人，脱离家庭或者监护人的，处五年以下有期徒刑或者拘役。对人民法院的判决、裁定有能力执行而拒不执行，情节严重的，处三年以下有期徒刑、拘役或者罚金。除此之外，在婚姻家庭中发生的其他侵犯公民人身权利、民主权利以及财产权利的违法行为，如非法拘禁，拐卖妇女、儿童，收买被拐卖的妇女、儿童等，如果触犯刑律，构成犯罪，也应按照刑法相应规定予以制裁。

除上述之外，还有一些法律对婚姻家庭领域中的违法行为和法律责任作了类似的规定，如妇女权益保障法、残疾人保障法等，此处不一一赘述。

第六章 附 则

第五十条 民族自治地方的人民代表大会有权结合当地民族婚姻家庭的具体情况，制定变通规定。自治州、自治县制定的变通规定，报省、自治区、直辖市人民代表大会常务委员会批准后生效。自治区制定的变通规定，报全国人民代表大会常务委员会批准后生效。

【释义】 本条是对民族自治地方人大有权结合当地民族婚姻家庭的具体情况，制定变通规定及其制定程序的规定。该条是在原婚姻法第三十六条的基础上主要对变通规定的生效程序作了修改。

我国是一个统一的多民族国家，全国共有56个民族，少数民族人口2000年为10643万人，占全国总人口的8.41%。民族自治地方行政区域的总面积约610万平方公里，占我国总面积的60%以上，其中各少数民族总人口为5000多万人。长期以来，由于各个民族的经济、文化发展水平不同；生产条件、自然环境、生活方式、传统文化、宗教和风俗习惯各有差异，因此在婚姻家庭领域里也存在着不同的特点。根据我国宪法、法律的有关规定和国家的民族政策，各民族一律平等，国家发展和维护各民族平等、团结、互助的民族关系，尊重少数民族传统的宗教、道德和生活方式，其中当然也包括婚姻家庭方面的传统习惯。本条的规定，正是党的民族政策在婚姻法上的具体体现，也是宪法原则在婚姻法上的具体化。

婚姻法规定的婚姻自由、一夫一妻、男女平等的婚姻制度，保护妇女、儿童和老人的合法权益,禁止重婚,禁止家庭暴力,禁止家庭成员间的虐待和遗弃等基本原则以及其他有关规定是正确的,也是符合我国各族人民的根本利益的,在各民族地方同样也是适用的。但为了尊重少数民族的风俗习惯,维护民族团结,作出某些变通的规定也是必要的。我国宪法和民族区域自治法均规定,各民族"都有保持或者改革自己的风俗习惯的自由",婚姻家庭方面也不例外。许多根植于民族文化的优良传统,使得我国人民的婚姻家庭生活更加绚丽多彩。对那些落后的陈规陋俗,应由各民族自治地方的自治机关采取妥善的步骤和办法,逐步地改革。制定变通规定有利于婚姻法的贯彻执行,也是依法行使自治权的必然要求。

自 1980 年原婚姻法公布以来,各民族自治地方根据宪法和婚姻法的基本原则,结合本地区的具体情况,先后制定了一些补充规定或变通条例。如新疆维吾尔自治区 1980 年 12 月 14 日制定的执行婚姻法的补充规定,西藏自治区 1981 年 4 月 18 日制定的施行婚姻法的变通条例,宁夏回族自治区 1981 年 6 月 15 日制定的执行婚姻法的补充规定,内蒙古自治区 1981 年 9 月 21 日制定的执行婚姻法的补充规定。除此之外,一些自治州如甘孜、阿坝、凉山、黔南等,自治县如循化、门源、化隆等也制定了一些变通规定。这些规定,既符合我国婚姻法的基本原则,又适合各民族自治地方婚姻家庭的具体情况,对加强民族团结、促进当地婚姻家庭关系、改革婚姻家庭制度产生了良好的影响。

上述规定主要是在以下方面对婚姻法作了变通或补充:

1. 关于法定婚龄。我国少数民族男女一般在十七八岁左右就结婚,特别是南部沿海和西南边疆的少数民族,结婚更早。婚姻法规定的法定婚龄,在这些少数民族地区若不适当降低是难以执行的。因此,许多自治地方将婚姻法规定的最低结婚年龄分别降低了两岁,即男不得早于二十周岁,女不得早于十八周岁。如新疆规定,结婚年龄,男不得早于二十周岁,女不得早于十八周岁。西藏、宁夏、内蒙古自治区以及一些州、县级自治地方都有类似变通规定。

2. 关于近亲结婚。少数民族大多聚居在边疆、山区,人口稀少,交通不便,通婚范围比较狭小。不少民族实行民族内婚制,近亲结婚较多,表兄弟姐妹结婚更是许多民族的习惯。对于禁止三代以内旁系血亲结婚问题,有的民族自治地方作了变通规定。如内蒙古自治区规定,大力提倡三代以内的旁系血亲不结婚。宁夏回族自治区规定,禁止三代以内的旁系血亲结婚的规定,回族推迟到 1983 年 1 月 1 日起执行。

3. 关于禁止宗教干涉婚姻家庭。许多民族都信仰宗教。如藏族信仰喇嘛教、回族信仰伊斯兰教、傣族信仰佛教等。宪法规定我国公民有宗教信仰自由,国家保护正常的宗教活动,但不得利用宗教力量对婚姻家庭进行非法干涉。因此,一些民族自治地方规定禁止宗教干涉婚姻家庭,如新疆、西藏等。

4. 关于少数民族的婚嫁仪式。少数民族的婚嫁仪式各具特色,丰富多彩,反映了各民族文化和历史的发展。如傣族男女结婚要请寨中有威望的老人祝福,并在新郎、新娘手上拴线,以示吉祥;景颇族结婚时男方先将姑娘“偷”回家中,然后再提亲、宴请宾客;有的民族男女双方自愿举行“抢婚”,等等。这些传统的仪式,大多数并不违背婚姻法的基本原则,应当予以尊重和保护。如西藏规定,对各少数民族传统的婚嫁仪式,在不妨碍婚姻自由的前提下,应予尊重。

5. 关于婚姻家庭习俗的改革。这些改革涉及婚姻家庭的许多方面,由于各民族自治地方的情况不同,许多规定各有其针对性。如西藏规定:废除一夫多妻、一妻多夫等封建婚姻,对执行本条例之前形成的上述婚姻关系,凡不主动提出解除婚姻关系者,准予维持。对该条例实施后形成的一夫多妻或一妻多夫的结合,应按重婚论处。有些少数民族群众结婚不办理登记,离婚不经法定程序，致使婚姻的成立和解除得不到法律的保护，当事人特别是女方的权益得不到有效的保障，有的地方甚至存在“休妻”的离婚方式。因此，许多民族自治地方都强调结婚、离婚必须办理法律手续。如新疆规定，禁止一方用口头或文字通知对方的方法离婚。

除上述之外，不同民族之间的通婚问题，婚姻法并无限制性规定。一些自治地方对此作了补充，明确规定不同民族之间可以通婚。如宁夏规定，回族同其他民族的男女自愿结婚，任何人不得干涉。有些民族自治地方的规定还涉及保护寡妇的婚姻自由、非婚生子女的保护以及子女的姓氏问题等内容。

这些变通或补充规定的适用范围，各民族自治地方都是根据本地的实际情况作出，具体规定不完全一致。新疆、西藏、宁夏、内蒙古自治区规定只适用于居住在本自治区的各少数民族。化隆、循化等自治县规定只适用于少数民族中的一般群众。甘孜、阿坝等自治州规定既适用于本州的少数民族，也适用于同少数民族结婚的汉族。

必须指出的是，民族自治地方制定的变通规定，只是对婚姻法的局部变通或补充，这些规定与婚姻法同时施行。对未作变通规定的，仍应按照婚姻法执行，以维护国家法律的统一和尊严。

对各级自治机关制定变通或补充规定的程序，本条根据宪法、立法法和民族区域自治法对原婚姻法的规定作了修改。

原婚姻法规定，民族自治地方人民代表大会和它的常务委员会可以依据本法的原则，结合当地民族婚姻家庭的具体情况，制定某些变通的或补充的规定。自治州、自治县制定的规定，须报请省、自治区人民代表大会常务委员会批准。自治区制定的规定，须报全国人民代表大会常务委员会备案。原婚姻法是 1980 年修改的，当时宪法还未作修改。宪法、立法法、民族区域自治法规定，民族自治地方的人民代表大会有权依照当地民族的政治、经济和文化的特点，制定自治条例和单行条例。自治区的自治条例和单行条例，报全国人民代表大会常务委员会批准后生效。自治州、自治县的自治条例和单行条例，报省、自治区、直辖市人民代表大会常务委员会批准后生效。因此，该规定与1982年宪法、立法法和民族区域自治法的规定有两处不一致：一是谁有权制定变通规定，依照宪法、立法法和民族区域自治法的规定，只有人民代表大会才有权制定，而原婚姻法规定，人民代表大会及其常委会都有权制定；二是生效程序，依照宪法、立法法和民族区域自治法的规定，自治区人大制定的变通规定，须报全国人大常委会批准，而原婚姻法规定，须报全国人大常委会备案。原婚姻法的规定应当依照宪法等法律作出修改，以维护法制的统一。

各民族自治地方制定的变通规定，经过本条规定的程序批准后才能发生法律效力。需要指出的是，在婚姻法修改前，民族自治地方已经依照原婚姻法的规定制定变通规定的，仍然有效。

第五十一条　本法自1981年1月1日起施行。

1950年5月1日颁行的《中华人民共和国婚姻法》，自本法施行之日起废止。

【释义】　本条是对原婚姻法生效日期和1950年颁行的婚姻法废止问题的规定。该条为原婚姻法第三十七条，此次未作修改，只是条文顺序的改变。

为了健全婚姻家庭法制，惩治婚姻家庭领域内的违法现象，1980年9月，在1950年婚姻法的基础上，根据实践经验和80年代出现的新情况，对1950年的婚姻法作了修订。1980年9月10日第五届全国人民代表大会第三次会议通过了《中华人民共和国婚姻法》（原婚姻法），并决定于1981年1月1日起施行。1950年颁行的婚姻法，自新法施行之日起废止。

关于此次修改的生效时间问题，婚姻法修改决定规定：本决定自公布之日起施行。《中华人民共和国婚姻法》根据本决定作相应修改并对条款顺序作相应调整,重新公布。

修改法律的决定,往往只是涉及部分条文的修改,一般从公布之日起施行,如1999年8月30日第九届全国人民代表大会常务委员会第十一次会议通过的关于修改个人所得税法的决定规定:“本决定自公布之日起生效。”

此次修改从内容上看,涉及总则、夫妻财产制、离婚条件等许多内容,而且有些内容是新增加的,如无效婚姻和可撤销婚姻、夫妻个人财产、法院判决离婚的具体情形、救助措施与法律责任等;从条文数量上看,对原婚姻法的二十二个条文的内容进行了修改,增加了十五个条文;条文总数也从三十七条增加到了五十一条。但本法的指导思想和基本任务并没有改变,基本原则也未作大的变动。此次修改,主要是针对婚姻家庭关系方面出现的一些新情况、新问题,在总结婚姻法实施经验的基础上,进一步修改和完善,以切实解决婚姻家庭关系中存在的问题,并不是对原婚姻法的全面修订。原婚姻法经过二十年的学习、宣传和贯彻实施,广大人民群众是熟悉的。因此,修改决定的生效时间不必要留有过渡期,从公布之日起生效。

根据法不溯及既往的原则,修改决定没有溯及力,只适用于其施行以后发生的行为,施行以前发生的行为,仍适用原婚姻法的规定。修改决定施行后,原婚姻法中的相关内容即行失效,修改决定施行后发生的行为,即应当依照根据修改决定作出相应修改并重新公布后的婚姻法处理。

另外,由于增加了一些条款,此次修改还对原婚姻法的条款顺序作了相应的调整。例如,由于新增加了第四条,原第六条改为了第七条;原第三十一条增加了一款,作为第二款,并改为第三十九条,等等。从第四条开始,以后的条款顺序都作了调整。

第二部分　附　　录

附录一：

中华人民共和国主席令

第五十一号

《全国人民代表大会常务委员会关于修改〈中华人民共和国婚姻法〉的决定》已由中华人民共和国第九届全国人民代表大会常务委员会第二十一次会议于2001年4月28日通过，现予公布，自公布之日起施行。

中华人民共和国主席　**江泽民**

2001年4月28日

全国人民代表大会常务委员会关于修改《中华人民共和国婚姻法》的决定

（2001 年 4 月 28 日第九届全国人民代表大会常务委员会第二十一次会议通过）

第九届全国人民代表大会常务委员会第二十一次会议决定对《中华人民共和国婚姻法》作如下修改：

一、第三条第二款修改为："禁止重婚。禁止有配偶者与他人同居。禁止家庭暴力。禁止家庭成员间的虐待和遗弃。"

二、增加一条，作为第四条："夫妻应当互相忠实，互相尊重；家庭成员间应当敬老爱幼，互相帮助，维护平等、和睦、文明的婚姻家庭关系。"

三、第六条改为第七条，第二项修改为："（二）患有医学上认为不应当结婚的疾病。"

四、第七条改为第八条，修改为："要求结婚的男女双方必须亲自到婚姻登记机关进行结婚登记。符合本法规定的，予以登记，发给结婚证。取得结婚证，即确立夫妻关系。未办理结婚登记的，应当补办登记。"

五、第八条改为第九条，修改为："登记结婚后，根据男女双方约定，女方可以成为男方家庭的成员，男方可以成为女方家庭的成员。"

六、增加一条,作为第十条:“有下列情形之一的,婚姻无效:

“(一)重婚的;

“(二)有禁止结婚的亲属关系的;

“(三)婚前患有医学上认为不应当结婚的疾病,婚后尚未治愈的;

“(四)未到法定婚龄的。”

七、增加一条,作为第十一条:“因胁迫结婚的,受胁迫的一方可以向婚姻登记机关或人民法院请求撤销该婚姻。受胁迫的一方撤销婚姻的请求,应当自结婚登记之日起一年内提出。被非法限制人身自由的当事人请求撤销婚姻的,应当自恢复人身自由之日起一年内提出。”

八、增加一条,作为第十二条:“无效或被撤销的婚姻,自始无效。当事人不具有夫妻的权利和义务。同居期间所得的财产,由当事人协议处理;协议不成时,由人民法院根据照顾无过错方的原则判决。对重婚导致的婚姻无效的财产处理,不得侵害合法婚姻当事人的财产权益。当事人所生的子女,适用本法有关父母子女的规定。”

九、第十三条改为第十七条,第一款修改为:“夫妻在婚姻关系存续期间所得的下列财产,归夫妻共同所有:

“(一)工资、奖金;

“(二)生产、经营的收益;

“(三)知识产权的收益;

“(四)继承或赠与所得的财产,但本法第十八条第三项规定的除外;

“(五)其他应当归共同所有的财产。”

十、增加一条,作为第十八条:“有下列情形之一的,为夫妻一方的财产:

“(一)一方的婚前财产;

“（二）一方因身体受到伤害获得的医疗费、残疾人生活补助费等费用；

“（三）遗嘱或赠与合同中确定只归夫或妻一方的财产；

“（四）一方专用的生活用品；

“（五）其他应当归一方的财产。”

十一、增加一条，作为第十九条：“夫妻可以约定婚姻关系存续期间所得的财产以及婚前财产归各自所有、共同所有或部分各自所有、部分共同所有。约定应当采用书面形式。没有约定或约定不明确的，适用本法第十七条、第十八条的规定。

“夫妻对婚姻关系存续期间所得的财产以及婚前财产的约定，对双方具有约束力。

“夫妻对婚姻关系存续期间所得的财产约定归各自所有的，夫或妻一方对外所负的债务，第三人知道该约定的，以夫或妻一方所有的财产清偿。”

十二、第十五条改为第二十一条，第四款修改为：“禁止溺婴、弃婴和其他残害婴儿的行为。”

十三、第十六条改为第二十二条，修改为：“子女可以随父姓，可以随母姓。”

十四、第十七条改为第二十三条，修改为：“父母有保护和教育未成年子女的权利和义务。在未成年子女对国家、集体或他人造成损害时，父母有承担民事责任的义务。”

十五、第十九条改为第二十五条，第二款修改为：“不直接抚养非婚生子女的生父或生母，应当负担子女的生活费和教育费，直至子女能独立生活为止。”

十六、第二十二条改为第二十八条，修改为：“有负担能力的祖父母、外祖父母，对于父母已经死亡或父母无力抚养的未成年的孙子女、外孙子女，有抚养的义务。有负担能力的孙子女、外孙子女，对于子女已经死亡或子女无力赡养的祖父母、外祖父母，有赡养的义务。”

十七、第二十三条改为第二十九条，修改为：“有负担能力的兄、姐，对于父母已经死亡或父母无力抚养的未成年的弟、妹，有扶养的义务。由兄、姐扶养长大的有负担能力的弟、妹，对于缺乏劳动能力又缺乏生活来源的兄、姐，有扶养的义务。”

十八、增加一条，作为第三十条：“子女应当尊重父母的婚姻权利，不得干涉父母再婚以及婚后的生活。子女对父母的赡养义务，不因父母的婚姻关系变化而终止。”

十九、第二十四条改为第三十一条，修改为：“男女双方自愿离婚的，准予离婚。双方必须到婚姻登记机关申请离婚。婚姻登记机关查明双方确实是自愿并对子女和财产问题已有适当处理时，发给离婚证。”

二十、第二十五条改为第三十二条，增加二款，作为第三款、第四款：“有下列情形之一，调解无效的，应准予离婚：

“（一）重婚或有配偶者与他人同居的；

“（二）实施家庭暴力或虐待、遗弃家庭成员的；

“（三）有赌博、吸毒等恶习屡教不改的；

“（四）因感情不和分居满二年的；

“（五）其他导致夫妻感情破裂的情形。

“一方被宣告失踪，另一方提出离婚诉讼的，应准予离婚。”

二十一、第二十六条改为第三十三条，修改为：“现役军人的配偶要求离婚，须得军人同意，但军人一方有重大过错的除外。”

二十二、第二十七条改为第三十四条，修改为：“女方在怀孕期间、分娩后一年内或中止妊娠后六个月内，男方不得提出离婚。女方提出离婚的，或人民法院认为确有必要受理男方离婚请求的，不在此限。”

二十三、第二十八条改为第三十五条，修改为：“离婚后，男女双方自愿恢复夫妻关系的，必须到婚姻登记机关进行复婚登记。”

二十四、第二十九条改为第三十六条，第一款修改为："父母与子女间的关系，不因父母离婚而消除。离婚后，子女无论由父或母直接抚养，仍是父母双方的子女。"

二十五、增加一条，作为第三十八条："离婚后，不直接抚养子女的父或母，有探望子女的权利，另一方有协助的义务。

"行使探望权利的方式、时间由当事人协议；协议不成时，由人民法院判决。

"父或母探望子女，不利于子女身心健康的，由人民法院依法中止探望的权利；中止的事由消失后，应当恢复探望的权利。"

二十六、第三十一条改为第三十九条，修改为："离婚时，夫妻的共同财产由双方协议处理；协议不成时，由人民法院根据财产的具体情况，照顾子女和女方权益的原则判决。"

增加一款，作为第二款："夫或妻在家庭土地承包经营中享有的权益等，应当依法予以保护。"

二十七、增加一条，作为第四十条："夫妻书面约定婚姻关系存续期间所得的财产归各自所有，一方因抚育子女、照料老人、协助另一方工作等付出较多义务的，离婚时有权向另一方请求补偿，另一方应当予以补偿。"

二十八、第三十二条改为第四十一条，修改为："离婚时，原为夫妻共同生活所负的债务，应当共同偿还。共同财产不足清偿的，或财产归各自所有的，由双方协议清偿；协议不成时，由人民法院判决。"

二十九、第三十三条改为第四十二条，修改为："离婚时，如一方生活困难，另一方应从其住房等个人财产中给予适当帮助。具体办法由双方协议；协议不成时，由人民法院判决。"

三十、增加"救助措施与法律责任"一章，作为第五章，增加六条，作为第四十三条至第四十七条、第四十九条：

(一)"第四十三条　实施家庭暴力或虐待家庭成员，受害人有权提出请求，居民委员会、村民委员会以及所在单位应当予以劝阻、调解。

“对正在实施的家庭暴力，受害人有权提出请求，居民委员会、村民委员会应当予以劝阻；公安机关应当予以制止。

“实施家庭暴力或虐待家庭成员，受害人提出请求的，公安机关应当依照治安管理处罚的法律规定予以行政处罚。”

（二）“第四十四条　对遗弃家庭成员，受害人有权提出请求，居民委员会、村民委员会以及所在单位应当予以劝阻、调解。

“对遗弃家庭成员，受害人提出请求的，人民法院应当依法作出支付扶养费、抚养费、赡养费的判决。”

（三）“第四十五条　对重婚的，对实施家庭暴力或虐待、遗弃家庭成员构成犯罪的，依法追究刑事责任。受害人可以依照刑事诉讼法的有关规定，向人民法院自诉；公安机关应当依法侦查，人民检察院应当依法提起公诉。”

（四）“第四十六条　有下列情形之一，导致离婚的，无过错方有权请求损害赔偿：

“（一）重婚的；

“（二）有配偶者与他人同居的；

“（三）实施家庭暴力的；

“（四）虐待、遗弃家庭成员的。”

（五）“第四十七条　离婚时，一方隐藏、转移、变卖、毁损夫妻共同财产，或伪造债务企图侵占另一方财产的，分割夫妻共同财产时，对隐藏、转移、变卖、毁损夫妻共同财产或伪造债务的一方，可以少分或不分。离婚后，另一方发现有上述行为的，可以向人民法院提起诉讼，请求再次分割夫妻共同财产。

“人民法院对前款规定的妨害民事诉讼的行为，依照民事诉讼法的规定予以制裁。”

（六）“第四十九条　其他法律对有关婚姻家庭的违法行为和

法律责任另有规定的,依照其规定。”

三十一、删去第三十四条。

三十二、第三十五条改为第四十八条,修改为:“对拒不执行有关扶养费、抚养费、赡养费、财产分割、遗产继承、探望子女等判决或裁定的,由人民法院依法强制执行。有关个人和单位应负协助执行的责任。”

三十三、第三十六条改为第五十条,修改为:“民族自治地方的人民代表大会有权结合当地民族婚姻家庭的具体情况,制定变通规定。自治州、自治县制定的变通规定,报省、自治区、直辖市人民代表大会常务委员会批准后生效。自治区制定的变通规定,报全国人民代表大会常务委员会批准后生效。”

本决定自公布之日起施行。

《中华人民共和国婚姻法》根据本决定作相应修改并对条款顺序作相应调整,重新公布。

中华人民共和国婚姻法

（1980年9月10日第五届全国人民代表大会第三次会议通过　根据2001年4月28日第九届全国人民代表大会常务委员会第二十一次会议《关于修改〈中华人民共和国婚姻法〉的决定》修正）

目　　录

第一章　总　　则

第一条　本法是婚姻家庭关系的基本准则。

第二条　实行婚姻自由、一夫一妻、男女平等的婚姻制度。

保护妇女、儿童和老人的合法权益。

实行计划生育。

第三条 禁止包办、买卖婚姻和其他干涉婚姻自由的行为。禁止借婚姻索取财物。

禁止重婚。禁止有配偶者与他人同居。禁止家庭暴力。禁止家庭成员间的虐待和遗弃。

第四条 夫妻应当互相忠实,互相尊重;家庭成员间应当敬老爱幼,互相帮助,维护平等、和睦、文明的婚姻家庭关系。

第二章 结　婚

第五条 结婚必须男女双方完全自愿,不许任何一方对他方加以强迫或任何第三者加以干涉。

第六条 结婚年龄,男不得早于二十二周岁,女不得早于二十周岁。晚婚晚育应予鼓励。

第七条 有下列情形之一的,禁止结婚:

(一)直系血亲和三代以内的旁系血亲;

(二)患有医学上认为不应当结婚的疾病。

第八条 要求结婚的男女双方必须亲自到婚姻登记机关进行结婚登记。符合本法规定的,予以登记,发给结婚证。取得结婚证,即确立夫妻关系。未办理结婚登记的,应当补办登记。

第九条 登记结婚后,根据男女双方约定,女方可以成为男方家庭的成员,男方可以成为女方家庭的成员。

第十条 有下列情形之一的,婚姻无效:

(一)重婚的;

(二)有禁止结婚的亲属关系的;

(三)婚前患有医学上认为不应当结婚的疾病,婚后尚未治愈的;

(四)未到法定婚龄的。

第十一条 因胁迫结婚的,受胁迫的一方可以向婚姻登记机关或人民法院请求撤销该婚姻。受胁迫的一方撤销婚姻的请求，应当自结婚登记之日起一年内提出。被非法限制人身自由的当事人请求撤销婚姻的，应当自恢复人身自由之日起一年内提出。

第十二条 无效或被撤销的婚姻，自始无效。当事人不具有夫妻的权利和义务。同居期间所得的财产，由当事人协议处理；协议不成时，由人民法院根据照顾无过错方的原则判决。对重婚导致的婚姻无效的财产处理，不得侵害合法婚姻当事人的财产权益。当事人所生的子女，适用本法有关父母子女的规定。

第三章 家 庭 关 系

第十三条 夫妻在家庭中地位平等。

第十四条 夫妻双方都有各用自己姓名的权利。

第十五条 夫妻双方都有参加生产、工作、学习和社会活动的自由，一方不得对他方加以限制或干涉。

第十六条 夫妻双方都有实行计划生育的义务。

第十七条 夫妻在婚姻关系存续期间所得的下列财产，归夫妻共同所有：

（一）工资、奖金；

（二）生产、经营的收益；

（三）知识产权的收益；

（四）继承或赠与所得的财产，但本法第十八条第三项规定的除外；

（五）其他应当归共同所有的财产。

夫妻对共同所有的财产，有平等的处理权。

第十八条 有下列情形之一的，为夫妻一方的财产：

（一）一方的婚前财产；

（二）一方因身体受到伤害获得的医疗费、残疾人生活补助费等费用；

（三）遗嘱或赠与合同中确定只归夫或妻一方的财产；

（四）一方专用的生活用品；

（五）其他应当归一方的财产。

第十九条 夫妻可以约定婚姻关系存续期间所得的财产以及婚前财产归各自所有、共同所有或部分各自所有、部分共同所有。约定应当采用书面形式。没有约定或约定不明确的，适用本法第十七条、第十八条的规定。

夫妻对婚姻关系存续期间所得的财产以及婚前财产的约定，对双方具有约束力。

夫妻对婚姻关系存续期间所得的财产约定归各自所有的，夫或妻一方对外所负的债务，第三人知道该约定的，以夫或妻一方所有的财产清偿。

第二十条 夫妻有互相扶养的义务。

一方不履行扶养义务时，需要扶养的一方，有要求对方付给扶养费的权利。

第二十一条 父母对子女有抚养教育的义务；子女对父母有赡养扶助的义务。

父母不履行抚养义务时，未成年的或不能独立生活的子女，有要求父母付给抚养费的权利。

子女不履行赡养义务时，无劳动能力的或生活困难的父母，有要求子女付给赡养费的权利。

禁止溺婴、弃婴和其他残害婴儿的行为。

第二十二条 子女可以随父姓，可以随母姓。

第二十三条 父母有保护和教育未成年子女的权利和义务。在未成年子女对国家、集体或他人造成损害时，父母有承担民事责任的义务。

第二十四条 夫妻有相互继承遗产的权利。

父母和子女有相互继承遗产的权利。

第二十五条　非婚生子女享有与婚生子女同等的权利，任何人不得加以危害和歧视。

不直接抚养非婚生子女的生父或生母，应当负担子女的生活费和教育费，直至子女能独立生活为止。

第二十六条　国家保护合法的收养关系。养父母和养子女间的权利和义务，适用本法对父母子女关系的有关规定。

养子女和生父母间的权利和义务，因收养关系的成立而消除。

第二十七条　继父母与继子女间，不得虐待或歧视。

继父或继母和受其抚养教育的继子女间的权利和义务，适用本法对父母子女关系的有关规定。

第二十八条　有负担能力的祖父母、外祖父母，对于父母已经死亡或父母无力抚养的未成年的孙子女、外孙子女，有抚养的义务。有负担能力的孙子女、外孙子女，对于子女已经死亡或子女无力赡养的祖父母、外祖父母，有赡养的义务。

第二十九条　有负担能力的兄、姐，对于父母已经死亡或父母无力抚养的未成年的弟、妹，有扶养的义务。由兄、姐扶养长大的有负担能力的弟、妹，对于缺乏劳动能力又缺乏生活来源的兄、姐，有扶养的义务。

第三十条　子女应当尊重父母的婚姻权利，不得干涉父母再婚以及婚后的生活。子女对父母的赡养义务，不因父母的婚姻关系变化而终止。

第四章　离　　婚

第三十一条　男女双方自愿离婚的，准予离婚。双方必须到婚姻登记机关申请离婚。婚姻登记机关查明双方确实是自愿并对子女和财产问题已有适当处理时，发给离婚证。

第三十二条 男女一方要求离婚的，可由有关部门进行调解或直接向人民法院提出离婚诉讼。

人民法院审理离婚案件，应当进行调解；如感情确已破裂，调解无效，应准予离婚。

有下列情形之一，调解无效的，应准予离婚：

（一）重婚或有配偶者与他人同居的；

（二）实施家庭暴力或虐待、遗弃家庭成员的；

（三）有赌博、吸毒等恶习屡教不改的；

（四）因感情不和分居满二年的；

（五）其他导致夫妻感情破裂的情形。

一方被宣告失踪，另一方提出离婚诉讼的，应准予离婚。

第三十三条 现役军人的配偶要求离婚，须得军人同意，但军人一方有重大过错的除外。

第三十四条 女方在怀孕期间、分娩后一年内或中止妊娠后六个月内，男方不得提出离婚。女方提出离婚的，或人民法院认为确有必要受理男方离婚请求的，不在此限。

第三十五条 离婚后，男女双方自愿恢复夫妻关系的，必须到婚姻登记机关进行复婚登记。

第三十六条 父母与子女间的关系，不因父母离婚而消除。离婚后，子女无论由父或母直接抚养，仍是父母双方的子女。

离婚后，父母对于子女仍有抚养和教育的权利和义务。

离婚后，哺乳期内的子女，以随哺乳的母亲抚养为原则。哺乳期后的子女，如双方因抚养问题发生争执不能达成协议时，由人民法院根据子女的权益和双方的具体情况判决。

第三十七条 离婚后，一方抚养的子女，另一方应负担必要的生活费和教育费的一部或全部，负担费用的多少和期限的长短，由双方协议；协议不成时，由人民法院判决。

关于子女生活费和教育费的协议或判决，不妨碍子女在必要时向父母任何一方提出超过协议或判决原定数额的合理要求。

第三十八条 离婚后,不直接抚养子女的父或母,有探望子女的权利,另一方有协助的义务。

行使探望权利的方式、时间由当事人协议;协议不成时,由人民法院判决。

父或母探望子女,不利于子女身心健康的,由人民法院依法中止探望的权利;中止的事由消失后,应当恢复探望的权利。

第三十九条 离婚时,夫妻的共同财产由双方协议处理;协议不成时,由人民法院根据财产的具体情况,照顾子女和女方权益的原则判决。

夫或妻在家庭土地承包经营中享有的权益等,应当依法予以保护。

第四十条 夫妻书面约定婚姻关系存续期间所得的财产归各自所有,一方因抚育子女、照料老人、协助另一方工作等付出较多义务的,离婚时有权向另一方请求补偿,另一方应当予以补偿。

第四十一条 离婚时,原为夫妻共同生活所负的债务,应当共同偿还。共同财产不足清偿的,或财产归各自所有的,由双方协议清偿;协议不成时,由人民法院判决。

第四十二条 离婚时,如一方生活困难,另一方应从其住房等个人财产中给予适当帮助。具体办法由双方协议;协议不成时,由人民法院判决。

第五章 救助措施与法律责任

第四十三条 实施家庭暴力或虐待家庭成员,受害人有权提出请求,居民委员会、村民委员会以及所在单位应当予以劝阻、调解。

对正在实施的家庭暴力,受害人有权提出请求,居民委员会、村民委员会应当予以劝阻;公安机关应当予以制止。

实施家庭暴力或虐待家庭成员,受害人提出请求的,公安机关应当依照治安管理处罚的法律规定予以行政处罚。

第四十四条 对遗弃家庭成员,受害人有权提出请求,居民委员会、村民委员会以及所在单位应当予以劝阻、调解。

对遗弃家庭成员,受害人提出请求的,人民法院应当依法作出支付扶养费、抚养费、赡养费的判决。

第四十五条 对重婚的,对实施家庭暴力或虐待、遗弃家庭成员构成犯罪的,依法追究刑事责任。受害人可以依照刑事诉讼法的有关规定,向人民法院自诉;公安机关应当依法侦查,人民检察院应当依法提起公诉。

第四十六条 有下列情形之一,导致离婚的,无过错方有权请求损害赔偿:

(一)重婚的;

(二)有配偶者与他人同居的;

(三)实施家庭暴力的;

(四)虐待、遗弃家庭成员的。

第四十七条 离婚时,一方隐藏、转移、变卖、毁损夫妻共同财产,或伪造债务企图侵占另一方财产的,分割夫妻共同财产时,对隐藏、转移、变卖、毁损夫妻共同财产或伪造债务的一方,可以少分或不分。离婚后,另一方发现有上述行为的,可以向人民法院提起诉讼,请求再次分割夫妻共同财产。

人民法院对前款规定的妨害民事诉讼的行为,依照民事诉讼法的规定予以制裁。

第四十八条 对拒不执行有关扶养费、抚养费、赡养费、财产分割、遗产继承、探望子女等判决或裁定的,由人民法院依法强制执行。有关个人和单位应负协助执行的责任。

第四十九条 其他法律对有关婚姻家庭的违法行为和法律责

任另有规定的，依照其规定。

第六章　附　　则

第五十条　民族自治地方的人民代表大会有权结合当地民族婚姻家庭的具体情况，制定变通规定。自治州、自治县制定的变通规定，报省、自治区、直辖市人民代表大会常务委员会批准后生效。自治区制定的变通规定，报全国人民代表大会常务委员会批准后生效。

第五十一条　本法自 1981 年 1 月 1 日起施行。

1950 年 5 月 1 日颁行的《中华人民共和国婚姻法》，自本法施行之日起废止。

附录二：

关于《中华人民共和国婚姻法修正案（草案）》的说明

——2000年10月23日在第九届全国人民代表大会常务委员会第十八次会议上

全国人大常委会法制工作委员会副主任　胡康生

委员长、各位副委员长、秘书长、各位委员：

我受委员长会议委托，作关于《中华人民共和国婚姻法修正案（草案）》的说明。

婚姻法是民法的重要组成部分。我国现行的1980年《中华人民共和国婚姻法》是在1950年颁布的《中华人民共和国婚姻法》的基础上修订的。二十年来的实践证明，婚姻法规定的实行婚姻自由、一夫一妻、男女平等的婚姻制度，保护妇女、儿童和老人的合法权益，禁止重婚，禁止家庭成员间的虐待和遗弃等基本原则是正确的，有关夫妻、家庭成员间的权利义务的规定是基本可行的，对于建立和维护平等、和睦、文明的婚姻家庭关系，维护社会安定，促进社会主义精神文明建设和社会进步，发挥了积极的作用。同时，随着经济、社会的发展，人们的思想观念也发生变化，在婚姻家庭关系方面出现了一些新问题。为了进一步完善我国的社会主义婚姻家庭制度，有必要总结婚姻法的实施经验，针对存在的问题，对婚姻法作出修改补充。

全国人大常委会法制工作委员会根据九届全国人大常委会的立法规划,在部分全国人大代表提出修改婚姻法议案和全国妇联等有关部门以及法律专家研究提出婚姻法修改建议的基础上,听取了妇联、人民法院、民政、卫生等部门和一些法律专家、人民群众对修改婚姻法的意见,在北京、上海、广东、新疆等地了解情况,并研究有关婚姻家庭的国内外规定,于今年 8 月提出了婚姻法修正案(征求意见稿),经征求中央有关部门和部分地方、法律专家的意见,进一步研究修改后,现提出婚姻法修正案(草案)。草案在现行婚姻法的基础上,从我国实际出发,坚持社会主义婚姻家庭的基本制度和基本原则,注重可操作性,将行之有效的有关行政法规和司法解释的规定,尽量吸收进来,针对存在的问题,尽可能作出补充规定,以更好地维护平等、和睦、文明的婚姻家庭关系,保护妇女、儿童和老人的合法权益,促进社会主义精神文明和物质文明建设。现将草案的主要内容和问题说明如下:

一、关于重婚问题

近几年一些地方重婚现象呈增多趋势,严重破坏一夫一妻的婚姻制度,违背社会主义道德风尚,导致家庭破裂,影响社会安定和计划生育。对这一问题,一方面应当进一步宣传、贯彻婚姻法,教育公民自觉遵守法律,弘扬中华民族的传统美德,抵御腐朽思想的侵蚀,预防重婚现象的发生。另一方面,为了进一步完善法制,加大遏制重婚的力度,草案规定了以下内容:1. 在总则中规定夫妻应当相互忠实,相互扶助。2. 规定禁止重婚和其他违反一夫一妻制的行为。3. 在法律责任中规定,对重婚的,应当依法追究刑事责任。公安机关、人民检察院应当依法侦查、提起公诉;受害人可以依照刑事诉讼法的有关规定,向人民法院自诉。4. 规定因一方重婚,另一方要求离婚的,调解无效,应准予离婚。5. 规定因一方重婚而导致离婚的,无过失方有权请求损害赔偿。

二、关于家庭暴力

近年来,我国家庭暴力问题在一些地方比较突出,因家庭暴力导致离婚和人身伤害案件增多。家庭暴力的直接受害者主要是妇女、儿童和老人,必须严厉打击家庭暴力的违法犯罪行为,有力地保护妇女、儿童和老人的权益。为了明确禁止家庭暴力,加强对受害者的保护和救助,并考虑到婚姻法和其他法律有关惩治家庭暴力违法犯罪行为的规定相衔接,草案作出下列规定:1. 在总则中明确规定禁止家庭暴力或以其他行为虐待家庭成员。2. 实施家庭暴力或以其他行为虐待家庭成员,由公安机关依照治安管理处罚条例予以行政处罚;构成犯罪的,依法追究刑事责任。3. 对正在实施的家庭暴力,受害人可以请求公安机关救助,也可以请求居民委员会、村民委员会劝阻。4. 实施家庭暴力或以其他行为虐待家庭成员,受害人可以请求村民委员会、居民委员会以及所在单位予以调解。5. 一方以暴力或其他行为虐待家庭成员,另一方要求离婚的,调解无效,应准予离婚。6. 因暴力或其他行为虐待家庭成员导致离婚的,无过失方有权请求损害赔偿。

三、关于结婚条件以及无效婚姻

现行婚姻法规定,患麻风病未经治愈或患其他在医学上认为不应当结婚的疾病的,禁止结婚。有关部门和医学专家提出,麻风病是一种普通的慢性传染病,现在对麻风病已有较好的治疗方案,可防可治不可怕,我国近年来已经基本消灭麻风病。因此,草案在禁止结婚的条件中保留了患有医学上认为不应当结婚的疾病,删去了有关麻风病的规定。

现行婚姻法规定了婚姻自由、一夫一妻的婚姻制度以及法定婚龄和禁止结婚的条件,对违反这些规定结婚的,草案增设了无效婚姻和可撤销婚姻制度。草案规定:1. 有下列情形之一的婚姻无效:(1)重婚的;(2)有禁止结婚的亲属关系的;(3)婚前患有医学上认为不应当结婚的疾病,婚后尚未治愈的;(4)未到法定婚龄的。对无效婚姻,婚姻登记机关或人民法院有权主动宣告该婚姻无效。当事人以及利害关系人可以向婚姻登记机关或人民法院提出该婚姻无效;2. 因胁迫结婚的,受胁迫的一方有权撤销该婚姻;3. 无效或被撤销的婚姻,自始无效。当事人不具有夫妻间的权利义务关系。当事人所生的子女,适用本法有关父母子女的规定。

四、关于夫妻财产制

现行婚姻法规定,夫妻在婚姻关系存续期间所得的财产,归夫妻共同所有,双方另有约定的除外。随着经济的发展,夫妻财产日益多样、丰厚,财产关系日趋复杂,为了更好地规范夫妻财产关系,草案对夫妻共同财产、个人特有财产和约定财产制作了具体规定。

关于共同财产,草案规定:1. 夫妻在婚姻关系存续期间所得的工资、奖金,从事经营活动的收益,知识产权的收益,除本法另有规定以外的因继承或赠与所得的财产等,都属于夫妻共同所有,但双方另有约定的除外。2. 夫妻对婚姻关系存续期间所得的财产约定不明确的,归夫妻共同所有。

关于个人特有财产,草案规定:有下列情形之一的,为夫妻一方的财产,但双方另有约定的除外:1. 一方所有的婚前财产。2. 因一方身体受到伤害获得的医疗费、残疾人生活补助费等费用。3. 遗嘱或赠与合同中指明归一方的财产。4. 一方专用的生活用品。5. 其他应当归一方的财产。

关于约定财产,草案规定:1. 夫妻可以书面约定婚前财产以及婚姻关系存续期间的财产归共同所有或各自所有,或部分共同所有、部分各自所有。2. 夫妻对婚前财产以及婚姻关系存续期间财产的约定,对双方具有约束力。夫妻对婚姻关系存续期间财产约定归各自所有的，夫或妻一方对外所负的债务，第三人知道该约定的，以夫或妻一方的财产清偿。夫妻对婚前财产以及婚姻关系存续期间财产归属的约定，逃避债务的，该约定无效。

五、关于离婚问题

现行婚姻法规定，对男女双方自愿离婚的，准予离婚；对男女一方要求离婚的，可以由有关部门进行调解或者直接向人民法院提出离婚诉讼。草案针对反映较多的有关离婚条件、离异家庭的子女抚养教育以及离婚时的财产分割等问题，增加规定以下内容：

（一）关于离婚条件。现行婚姻法规定，人民法院审理离婚案件，应当进行调解；如感情确已破裂，调解无效，应准予离婚。鉴于审判实践中需要明确“感情确已破裂”的具体情形，最高人民法院对此作出了司法解释。总结审判实践经验，草案对此补充规定了以下内容：人民法院审理离婚案件，应当进行调解；有下列情形之一，感情确已破裂，调解无效的，应准予离婚：1. 实施家庭暴力或以其他行为虐待家庭成员、或遗弃家庭成员的；2. 一方重婚或有其他违反一夫一妻制行为的；3. 一方有赌博、吸毒等恶习的；4. 一方被追究刑事责任，严重伤害夫妻感情的；5. 婚后患有医学上认为不应当结婚的疾病的；6. 因感情不和分居满二年的；7. 其他导致夫妻感情确已破裂的情形。一方被宣告失踪，另一方提出离婚诉讼的，应准予离婚。

（二）关于对离异家庭子女的抚养教育。夫妻离异后，对未成年子女的身心是极大的伤害，有些父母放松甚至不管子女的教育，导致青少年违法犯罪的现象日益增多，已经引起社会各界的重视和关切。草案在现行婚姻法“离婚后，父母对于子女仍有抚养和教育的权利和义务”等规定以及其他有关法律规定的基础上，增加规定：父母应当使适龄的子女按时入学，接受义务教育。父母应当教育子女不得有不良行为，应当履行预防未成年人犯罪的职责。

同时规定:离婚后,不直接抚养子女的父或母,有探视子女的权利。父或母探视子女,危及子女身心健康的,经人民法院判决可以中止探视权。

(三)关于离婚时的财产分割。为了更好地体现现行婚姻法规定的在离婚时照顾女方和子女权益的原则,并且考虑到因一方重婚、虐待、遗弃等原因导致离婚,应当确立离婚的过错赔偿原则,总结审判实践经验,草案增加规定:1. 一方婚前个人所有的财产,婚后由双方共同使用、经营、管理的,住房和其他价值较大的生产资料经过八年,贵重的生活资料经过四年,视为夫妻的共同财产,双方另有约定的除外。2. 夫妻书面约定婚姻关系存续期间财产归各自所有,一方因抚育子女、照料老人、协助另一方工作等付出较多义务的,离婚时可以向另一方请求补偿。3. 因一方重婚、实施家庭暴力或以其他行为虐待家庭成员、或遗弃家庭成员而导致离婚的,无过失方有权请求损害赔偿。4. 离婚时,一方隐藏、转移、变卖、毁损夫妻共同财产,或伪造债务企图侵占另一方财产的,人民法院可以依照民事诉讼法的规定予以制裁。分割夫妻共同财产时,对隐藏、转移、变卖、毁损夫妻共同财产或伪造债务的一方,可以少分或不分。离婚后,另一方发现隐藏、转移、变卖、毁损的夫妻共同财产,或一方伪造债务的,可以向人民法院提起诉讼,请求再次分割夫妻共同财产。

六、关于保障老年人的权益

当前,我国老龄问题越来越成为一个重要的社会问题。老年人得不到较好的赡养,甚至受虐待、遗弃,以及干涉老年人婚姻的现象,在一些地方时有发生,对此必须引起高度重视。草案在现行婚姻法规定的基础上,作出以下修改补充:1. 有负担能力的孙子女、外孙子女,对于子女已经死亡或子女无力赡养的祖父母、外祖父母,有赡养的义务。2. 子女应当尊重父母的婚姻权利,不得干涉父母再婚以及婚后的生活。子女对父母的赡养义务不因父母的婚姻关系变化而终止。3. 对遗弃家庭成员的,受害人可以请求人民法院作出支付扶养费、抚养费、赡养费的判决和裁定;构成犯罪的,依法追究刑事责任。对遗弃家庭成员的,受害人可以请求村民委员会、居民委员会以及所在单位予以调解。

七、关于法律责任

现行婚姻法规定:违反本法者,得分别情况,依法予以行政处分或法律制裁。为了明确违反本法者的法律责任,便于受害者行使权利,更好地保护其权益,草案专设法律责任一章,对违法行为分别情况规定应当承担民事责任、刑事责任等。

《中华人民共和国婚姻法修正案(草案)》和以上说明当否,请审议。

全国人大法律委员会关于《中华人民共和国婚姻法修正案（草案）》修改情况的汇报

全国人民代表大会常务委员会：

九届全国人大常委会第十八次会议对婚姻法修正案（草案）进行了初步审议。委员们认为，草案对我国婚姻家庭领域出现的新情况、新问题，有针对性地作了具体补充规定，这对更好地贯彻婚姻法确定的婚姻自由、一夫一妻、男女平等的婚姻制度和保护妇女、儿童、老人权益，禁止重婚、禁止虐待和遗弃等基本原则，有积极意义，总的看修正案的基础是好的，同时也提出了一些修改意见。会后，李鹏委员长针对初步审议中提出的主要问题，进行了调查研究。法制工作委员会将草案印发各省、自治区、直辖市和较大的市、经济特区、中央有关部门以及高等院校、研究机构广泛征求意见。法律委员会、法制工作委员会召开部分法院、专家、青年、地方等四个方面的座谈会和论证会，进一步征求意见。社会各界对婚姻法的修改十分关注，现已收到人民来信三百余封。法律委员会于 12 月 8 日召开会议，根据常委委员的审议意见以及各方面的意见，对草案进行了逐条审议。内务司法委员会、最高人民法院、国务院法制办、公安部、民政部、全国妇联的有关负责同志列席了会议。12 月 18 日法律委员会再次进行了审议。现将婚姻法修正案（草案）的修改情况汇报如下：

一、草案第三条规定："禁止重婚和其他违反一夫一妻制的行为。"草案第四十五条规定："对重婚的，依法追究刑事责任。"有的常委委员提出，目前法律和司法解释有关重婚的规定范围较窄，应当对哪些属于重婚加以具体化，扩大认定重婚罪的范围。对此，法律委员会和法制工作委员会在北京、广东等地多次召开座谈会和论证会，较为一致的意见是，违反一夫一妻制的行为情况比较复杂，应当通过法律、党纪、政纪、道德、教育等多种手段、多种渠道予以遏制。对属于重婚的，应当依法追究刑事责任，对因重婚和虽然不以夫妻名义但形成婚外同居关系导致离婚的，应当加重其承担民事赔偿的责任。因此，法律委员会建议在草案的基础上扩大离婚损害赔偿的范围，增加规定，"即使不以夫妻名义但形成婚外同居关系"导致离婚的，无过失方有权请求损害赔偿。（修正案草案二次审议稿第四十六条）

二、有的常委委员和专家认为，草案第十条对无效婚姻作出规定是好的，但对不登记就"结婚"的，应当一律明确规定为无效婚姻。考虑到农村中未办理登记举行结婚仪式的不少，未办理登记的原因很复杂，有的是不符合结婚条件，更多的是符合结婚条件，因收费过高或登记不便利造成的。法律委员会认为，对没有登记的应区别情况分别处理。对违反结婚实质条件的，草案已规定为无效婚姻；对符合结婚实质要件只是没有办理登记手续的，一律简单宣布为无效婚姻，对保护妇女的权益不利，应当通过加强法制宣传和完善登记制度等工作，采取补办登记等办法去解决。

三、草案第十一条规定："因胁迫结婚的，受胁迫的一方有权撤销该婚姻。向婚姻登记机关或人民法院请求撤销婚姻的，应当自结婚登记之日起六个月内提出。被非法限制人身自由的当事人请求撤销婚姻的，应当自恢复人身自由之日起六个月内提出。"有的常委委员和专家提出，草案规定请求撤销婚姻的期间太短，应当延长。因此，法律委员会建议将该条提出撤销婚姻的期间"六个

月”修改为“一年”。（修正案草案二次审议稿第十一条）

四、草案第十二条规定：“无效或被撤销的婚姻，自始无效。当事人不具有夫妻的权利和义务。当事人所生的子女，适用本法有关父母子女的规定。”有的常委委员、法院和专家提出，婚姻无效或被撤销后，当事人发生财产纠纷的怎么办，应当规定。因此，法律委员会建议在该条中补充规定：“当事人不具有夫妻的权利和义务，但同居期间所得的财产，除重婚的以外，按照共同财产分割；对有过错的一方，可以少分或不分。”（修正案草案二次审议稿第十二条）

五、草案第二十一条第四款规定：“禁止溺婴和其他残害婴儿的行为。”根据有的常委委员的意见，法律委员会建议将该款修改为：“禁止溺婴、弃婴和其他残害婴儿的行为。”（修正案草案二次审议稿第二十一条）

六、草案第二十三条规定：“在未成年子女对国家、集体或他人造成损害时，父母有赔偿经济损失的义务。”有的常委委员提出，未成年子女对他人造成损害的，父母除赔偿经济损失以外，还可能承担其他民事责任。因此，法律委员会建议将该规定修改为：“在未成年子女对国家、集体或他人造成损害时，父母有承担民事责任的义务。”（修正案草案二次审议稿第二十三条）

七、草案第二十五条第二款规定：“非婚生子女的生父，应负担子女必要的生活费和教育费的一部或全部，直至子女能独立生活为止。”有的常委委员提出，除生父之外，其生母也应负担生活费和教育费。因此，法律委员会建议将该款修改为：“非婚生子女的生父母，都应负担子女的生活费和教育费，直至子女能独立生活为止。”（修正案草案二次审议稿第二十五条）

八、草案第三十二条第二款规定：“人民法院审理离婚案件，应当进行调解；有下列情形之一，感情确已破裂，调解无效的，应准予离婚。”根据有的常委委员和专家意见，法律委员会建议在保留现行婚姻法第二十五条第二款的基础上，将该款修改为："有下列情形之一，调解无效的，视为感情确已破裂。"同时，建议将"(三)一方有赌博、吸毒等恶习的"修改为"(三)一方有赌博、吸毒等恶习屡教不改的"。(修正案草案二次审议稿第三十二条)

九、草案第三十八条规定，离婚后不直接抚养子女的父或母，有探视子女的权利。有的常委委员提出，对探视子女的问题，除规定一方享有探视权外，还应当规定另一方有协助让其探视的义务。同时有必要对行使探视权的时间、方式作出规定。因此，法律委员会建议将该条修改为："离婚后，不直接抚养子女的父或母，有探视子女的权利，另一方有协助的义务。行使探视权利的方式、时间由当事人协商；协商不成时，由人民法院判决。"(修正案草案二次审议稿第三十八条)

十、草案第三十九条第二款规定："一方婚前个人所有的财产，婚后由双方共同使用、经营、管理的，住房和其他价值较大的生产资料经过八年，贵重的生活资料经过四年，视为夫妻的共同财产，双方另有约定的除外。"有的常委委员和专家提出，现在婚前个人财产越来越多，情况较为复杂，笼统规定经过八年、四年就一律成为共同财产，不太合适。法律委员会建议对此可以不作规定，为了保护弱者特别是妇女的利益，除保留草案第三十九条关于分割共同财产时，协议不成的，"由人民法院根据财产的具体情况，照顾女方和子女权益的原则判决"的规定外，在草案第四十二条中增加规定："离婚时，如一方生活困难，另一方应从其住房等个人财产中给予适当帮助。具体办法由双方协议；协议不成时，由人民法院判决。"(修正案草案二次审议稿第四十二条)

十一、有的常委委员、部门和专家提出，婚姻家庭纠纷主要通过协商、调解等办法去解决，司法部门不宜过多介入婚姻家庭纠纷，应当调整草案第四十三条、第四十四条、第四十六条的条款顺序。因此，法律委员会建议对上述条款的顺序作出相应调整。

（修正案草案二次审议稿第四十三条至第四十五条）

十二、有的常委委员和专家提出，当前我国的涉外婚姻增多，对涉外婚姻如何适用法律，应当明确规定。考虑到民法通则对涉外结婚、离婚、扶养、继承等法律适用问题已有规定，其他有些问题还需进一步研究，法律委员会建议在草案中暂不作规定，可以在制订民法典时进一步完善。

从各方面反映的情况看，婚姻家庭关系中出现的不少问题是由于不了解婚姻法以及相关法律的规定。委员们在审议中提出，要大力宣传婚姻法，加强贯彻婚姻法的工作。婚姻法修改后，应当广泛宣传教育，让广大人民了解婚姻法，增强法制观念，加强道德规范，促进社会主义精神文明建设。

此外，还对修正案草案作了一些文字修改。

修正案草案二次审议稿已按上述意见作了修改，法律委员会建议全国人大常委会再次审议。

修正案草案二次审议稿和以上意见是否妥当，请审议。

全国人大法律委员会

2000 年 12 月 18 日

全国人大法律委员会关于《中华人民共和国婚姻法修正案（草案）》审议结果的报告

全国人民代表大会常务委员会：

九届全国人大常委会第十九次会议对婚姻法修正案（草案）进行了再次审议。委员们认为，草案二次审议稿吸收了常委会初次审议的意见和有关方面的意见，修改得比较好，同时提出了一些修改意见。会后，全国人大常委会办公厅根据委员长会议决定，全文公布了婚姻法修正草案，广泛征求意见，截止 2001 年 2 月 28 日，收到群众来信来电共 3829 件。此后，还陆续收到一些来信。法律委员会、法制工作委员会召开了部分地方人大常委会、有关部门和法律专家参加的座谈会，对婚姻法修正案草案进一步研究修改。法律委员会于 4 月 6 日召开会议，根据常委委员的审议意见以及其他各方面的意见，对草案进行了逐条审议。全国人大内务司法委员会、最高人民法院、国务院法制办、民政部、全国妇联的有关负责同志列席了会议。4 月 18 日法律委员会再次进行了审议。法律委员会认为，婚姻法修正案草案经过常委会两次审议和修改，已经基本成熟，同时提出以下修改意见：

一、关于禁止重婚和其他违反一夫一妻制的行为

修正案草案第三条第二款规定："禁止重婚后其他违反一夫

一妻制的行为。”有的常委委员认为，哪些属于“其他违反一夫一妻制的行为”，应当进一步明确；有的常委委员认为，“其他违反一夫一妻制的行为”情况较为复杂，应当区别情况通过法律、党纪、政纪、道德、教育等多种手段、多种渠道予以遏制。考虑到一一列举违反一夫一妻制的行为比较困难，法律委员会建议修改为：“禁止重婚。禁止有配偶者与他人同居。”这样修改，针对性强，法律责任明确，即对属于重婚的，应当依法追究刑事责任；对因重婚和有配偶者与他人同居导致离婚的，应当承担民事赔偿的责任。（修改决定草案第一条）

二、关于禁止家庭暴力的问题

修正案草案第三条第二款规定：“禁止家庭暴力或以其他行为虐待家庭成员。禁止遗弃家庭成员。”有的常委委员和专家认为，禁止家庭暴力，保护妇女和儿童权益，是当前各国都关注的社会问题，家庭暴力与虐待行为有重合，但虐待不能包括所有家庭暴力的具体情形，主张将禁止家庭暴力和虐待分别规定。因此，法律委员会建议修改为：“禁止家庭暴力。禁止家庭成员间的虐待和遗弃。”（修改决定草案第一条）

三、关于未办理登记就“结婚”的问题

有的常委委员和专家认为，我国实行婚姻登记制度，对符合结婚实质要件没有办理登记就“结婚”的，应当补办登记，这样有利于提高公民的法律意识，加强登记工作。因此，法律委员会建议，在婚姻法第七条后增加规定：“未办理结婚登记的，应当补办登记。”（修改决定草案第四条）

四、关于无效婚姻的确认宣告问题

修正案草案第十条第二款、第三款规定：“对无效婚姻，当事人以及利害关系人可以向婚姻登记机关或人民法院提出该婚姻无效,婚姻登记机关或人民法院应当宣告该婚姻无效。对未到法定婚龄结婚的,应当在法定婚龄届至前提出或宣告该婚姻无效。"有的常委委员认为,这一问题可以不作规定。该条第一款已明确规定,重婚、有禁止结婚的亲属关系等情形之一的,婚姻无效,即使未经婚姻登记机关或人民法院宣告无效,该婚姻也是无效的;对宣告无效程序作了规定,反而可能引起歧义。因此,法律委员会建议删去这两款规定。(修改决定草案第五条)

五、关于无效婚姻的财产处理问题

修正案草案第十二条规定:"无效或被撤销的婚姻,自始无效。当事人不具有夫妻的权利和义务,但同居期间所得的财产,除重婚的以外,按照共同财产分割;对有过错的一方,可以少分或不分。"有的常委委员和部门提出,婚姻无效或者被撤销后,怎样分割当事人同居期间所得的财产,首先宜由当事人协议,同时,因重婚导致婚姻无效的财产处理问题,应当着重保护合法婚姻当事人的财产权益。因此,法律委员会建议将该规定修改为:"无效或被撤销的婚姻,自始无效。当事人不具有夫妻的权利和义务。同居期间所得的财产,由当事人协议处理,协议不成时,由人民法院根据照顾无过错方的原则判决。对重婚导致的婚姻无效的财产处理,不得侵害合法婚姻当事人的财产权益。"(修改决定草案第七条)

六、关于夫妻共同财产的问题

修正案草案第十七条对哪些属于夫妻共有财产作了具体规定。有的常委委员提出,农民从事生产的劳动收入属于夫妻共同所有,对此应明确作出规定。因此,法律委员会建议将该条第二项"从事经营活动的收益"修改为:"生产、经营的收益。"(修改决定

草案第八条）

七、关于列举要求离婚的具体情形问题

修正案草案第三十二条第三款规定了经调解无效，视为夫妻感情确已破裂，应准予离婚的情形。有的常委委员和部门认为，其中第四项“一方被追究刑事责任，严重伤害夫妻感情的”和第五项“婚后患有医学上认为不应当结婚的疾病的”这两种情形，可以包括在第七项“其他导致夫妻感情破裂的情形”之中，以不专门突出规定为好。因此，法律委员会建议删去这两项规定。（修改决定草案第十八条）

八、关于保护军婚问题

婚姻法第二十六条规定：“现役军人的配偶要求离婚，须得军人同意。”法律委员会认为，对军婚予以特别保护是必要的。同时，根据有的常委委员和一些地方、部门、专家的意见，建议在“现役军人的配偶要求离婚，须得军人同意”之后增加规定：“但军人一方有重大过错的除外。”（修改决定草案第十九条）

九、关于保护离婚妇女土地承包经营权的问题

有的常委委员、地方和部门提出，当前农村妇女离婚后，丧失土地承包的权利，生活困难的问题较为突出，为了保护广大妇女的权益，应当对此作出有针对性的规定。因此，法律委员会建议在婚姻法第三十一条中增加一款规定：“夫妻在家庭土地承包经营中享有的权益等，应当依法予以保护。”（修改决定草案第二十五条）

十、关于第五章的章名问题

修正案草案第五章的章名是“法律责任”。有的常委委员和专家提出，本章规定的内容，除法律责任的规定外，还有一些是对

被害人予以救助的规定，对本章的章名应当作出修改。因此，法律委员会建议将第五章的章名修改为："救助措施与法律责任。"（修改决定草案第二十九条）

十一、关于有关组织在制止家庭暴力、虐待和遗弃家庭成员中的职责问题

修正案草案第四十三条、第四十四条规定了因家庭暴力或虐待、遗弃家庭成员，受害人可以请求村民委员会、居民委员会以及所在单位予以调解。对正在实施的家庭暴力，受害人可以请求公安机关救助，也可以请求村民委员会、居民委员会劝阻等。有的常委委员和部门提出，这两条重点规定了受害人可以请求有关组织予以调解或者救助，应当进一步对有关组织的职责作出相应的明确规定。因此，法律委员会建议将这两条修改为："实施家庭暴力或虐待家庭成员，受害人有权提出请求，居民委员会、村民委员会以及所在单位应当予以劝阻、调解。对正在实施的家庭暴力，受害人有权提出请求，居民委员会、村民委员会应当予以劝阻；公安机关应当予以制止。实施家庭暴力或虐待家庭成员，受害人提出请求的，公安机关应当依照治安管理处罚的法律规定予以行政处罚。""对遗弃家庭成员，受害人有权提出请求，居民委员会、村民委员会以及所在单位应当予以劝阻、调解。对遗弃家庭成员，受害人提出请求的，人民法院应当依法作出支付扶养费、抚养费、赡养费的判决和裁定。"（修改决定草案第二十九条）

十二、关于民族自治地方制定变通规定的问题

婚姻法第三十六条规定："民族自治地方人民代表大会和它的常务委员会可以依据本法的原则，结合当地民族婚姻家庭的具体情况，制定某些变通的或补充的规定。自治州、自治县制定的规定，须报请省、自治区人民代表大会常务委员会批准。自治区制定

的规定,须报全国人民代表大会常务委员会备案。”有的常委委员提出,民族自治地方有权制定变通规定的问题,婚姻法的规定应当和其后制定的宪法、立法法的规定相衔接。因此,法律委员会建议将本条修改为:“民族自治地方的人民代表大会有权结合当地民族婚姻家庭的具体情况,制定变通规定。自治州、自治县制定的变通规定,报省、自治区、直辖市人民代表大会常务委员会批准后生效,自治区制定的变通规定,报全国人民代表大会常务委员会批准后生效。”(修改决定草案第三十一条)

在关于修改婚姻法的决定施行前,民族自治地方已经依照原婚姻法规定制定的变通规定,仍然有效。

此外,还根据常委委员的意见,对修正案草案二次审议稿作了一些文字修改。

法律委员会已按上述意见提出关于修改婚姻法的决定(草案),建议经本次常委会会议审议通过。

修改决定草案和以上意见是否妥当,请审议。

全国人大法律委员会

2001 年 4 月 18 日

关于税收征收管理法等四个法律草案修改意见的报告（节录）

（2001年4月28日）

全国人大法律委员会主任委员 王维澄

本次会议于2001年4月24日下午、25日上午、25日下午、26日上午对税收征收管理法（修订草案）、信托法（草案三次审议稿）、关于修改婚姻法的决定（草案）、国防教育法（草案二次审议稿）分组进行了审议。大家认为，上述四个法律草案吸收了常委会组成人员和地方、部门、专家的意见，已经比较成熟，建议本次常委会会议通过。同时，也提出了一些修改意见。法律委员会于4月25日下午、26日上午、26日下午、27日上午召开会议，财政经济委员会、内务司法委员会、教育科学文化卫生委员会的负责同志列席了有关会议，逐条研究了委员们的意见，提出了进一步修改意见。

一、关于税收征收管理法（修订草案）（略）

二、关于信托法（草案三次审议稿）（略）

三、关于修改婚姻法的决定（草案）

（一）根据有的委员的意见，法律委员会建议将修改决定草案

第二条“夫妻应当互相忠实,互相扶助”修改为“夫妻应当互相忠实,互相尊重”。(建议表决稿第二条)

(二)婚姻法第八条规定:“登记结婚后,根据男女双方约定,女方可以成为男方家庭的成员,男方也可以成为女方家庭的成员。”婚姻法第十六条规定:“子女可以随父姓,也可以随母姓。”根据有的委员的意见,法律委员会建议将该两条中的“也”字删去。(建议表决稿第五条、第十三条)

(三)修改决定草案第十条第一款规定了夫妻约定财产的范围。有的委员提出,对夫妻财产应当进一步扩大约定的范围。因此,法律委员会建议将该款修改为:“夫妻可以约定婚姻关系存续期间所得的财产以及婚前财产归各自所有、共同所有或部分各自所有、部分共同所有。约定应当采用书面形式。没有约定或约定不明确的,适用本法第十七条、第十八条的规定。”(建议表决稿第十一条)

(四)修改决定草案第二十四条规定:“父或母探视子女,不利于子女身心健康的,经人民法院判决可以中止探视权。”有的委员和部门提出,“探视权”可改为“探望权”。同时应当规定中止探望的事由消失后,恢复探望的权利。因此,法律委员会建议将该规定修改为:“父或母探望子女,不利于子女身心健康的,由人民法院依法中止探望的权利;中止的事由消失后,应当恢复探望的权利。”(建议表决稿第二十五条)

(五)修改决定草案第二十六条规定:“夫妻书面约定婚姻关系存续期间所得的财产归各自所有,一方因抚育子女、照料老人、协助另一方工作等付出较多义务的,离婚时可以向另一方请求补偿。”有的委员提出,该条应当增加规定另一方负有补偿的义务。因此,法律委员会建议将该条最后一句修改为“离婚时有权向另一方请求补偿,另一方应当予以补偿”。(建议表决稿第二十七条)

此外,委员们还提出了一些其他意见。考虑到婚姻家庭问题非常复杂,法律委员会建议,有的可以在其他有关法律中作出规定,有的可以在实施过程中加强法律解释和司法解释工作,有的问题还要靠党纪、政纪、道德、村规民约、教育等多种办法予以解决。有的问题目前难以规定,待积累更多的实践经验后,再进一步完善。

四、关于国防教育法(草案二次审议稿)(略)

此外,还对上述四个法律草案作了一些文字修改。

以上修改意见,请审议。

图书在版编目(CIP)数据

中华人民共和国婚姻法释义 / 胡康生主编 ; 全国人大法制工作委员会编. -- 北京 : 法律出版社, 2001.6(2018.11 重印)
(中华人民共和国法律释义丛书)
ISBN 978-7-5036-3428-4

Ⅰ. ①中… Ⅱ. ①胡… ②全… Ⅲ. ①婚姻法-注释-中国 Ⅳ. ①D923.905

中国版本图书馆 CIP 数据核字(2001)第 028663 号

中华人民共和国婚姻法释义
ZHONGHUA RENMIN GONGHEGUO HUNYINFA SHIYI

胡康生 主编
全国人大法制工作委员会 编

责任编辑 麦 锐
装帧设计 李 瞻

编辑统筹 法规出版分社
出版 法律出版社
总发行 中国法律图书有限公司
经销 新华书店
印刷 北京玺诚印务有限公司
责任印制 吕亚莉
开本 850 毫米×1168 毫米 1/32
印张 8
字数 189 千
版本 2001 年 6 月第 1 版
印次 2018 年 11 月第 4 次印刷

法律出版社/北京市丰台区莲花池西里 7 号(100073)
网址/www.lawpress.com.cn
投稿邮箱/info@lawpress.com.cn
举报维权邮箱/jbwq@lawpress.com.cn
销售热线/010-83938336
咨询电话/010-63939796

中国法律图书有限公司/北京市丰台区莲花池西里 7 号(100073)
全国各地中法图分、子公司销售电话:
统一销售客服/400-660-6393
第一法律书店/010-83938334/8335 西安分公司/029-85330678 重庆分公司/023-67453036
上海分公司/021-62071639/1636 深圳分公司/0755-83072995

书号:ISBN 978-7-5036-3428-4 **定价:**36.00 元
(如有缺页或倒装,中国法律图书有限公司负责退换)